ネットはなぜ
いつも揉めているのか

津田正太郎 Tsuda Shotaro

★――ちくまプリマー新書
458

はじめに

朝、目を覚ますとツイッター（現X）を開くところから私の一日は始まります。夜のあいだに通知は来ていないか、新しい話題や動きが出てきていないかをチェックするためです。私のタイムラインでは日々、何らかの対立が発生しており、私自身がそこに加わっていることもあります。私がフォローしている人同士が言い争っているのも珍しくはなく、ヒヤヒヤしながらその顚末《てんまつ》を見届けることになります。

もっとも、これは私がフォローしている方々の多くが研究者や新聞記者であることに関係しているのかもしれません。ツイッターでは誰をフォローするのかによってタイムラインのありようは全く変わってきます。私のタイムラインでは政治学の方法論について激しく意見が戦わされているときに、長女のそれではユーチューブで人気のゲーム配信者について楽しいコメントが並んでいたりします（時折、ファンとアンチとのあいだで抗争が起きることもあるようですが……）。

その意味で、この本の主題はソーシャルメディアのなかでもマイナーな領域を扱ったもののだと言えるかもしれません。アニメやドラマ、スポーツといった楽しい話題をよそに、政治、経済、社会、学問などのさまざまな問題をめぐって日々激しい対立が展開されているソーシャルメディアの辺境地ではいったい何が起きているのか。なぜ対立が果てしなく続いてしまうのか。それが本書のメインテーマです。

ただし、マイナーだとしても、重要性の低いトピックだとは限らないという点には注意が必要です。ソーシャルメディア上の論争には社会的に大きな発言力をもつユーザーがしばしば関わっていますし、現在ではテレビや新聞などのマスメディアもソーシャルメディアの動向をよくみています。ソーシャルメディアで生まれた動きが、ネットメディアやマスメディアを経由して大きな反響を生じさせることはもはや珍しいことではありません。ソーシャルメディア上での抗議活動が大きなうねりとなり、政府や企業に何かしらの対応が求められるという現象も発生しています。

言い換えると、たとえツイッターやインスタグラムの熱心なユーザーではなかったとしても、一消費者として、あるいは一企業人として、あらゆる人びとがソーシャルメディアとは無関係ではいられなくなってきたというのが今日の状況なのです。新型コロナウィルスの感染拡大にさいして、ソーシャルメディア上でのデマによってスーパーからトイレットペーパーが一時的にではあれ姿を消したのも、その一例と言えるでしょう。

現在、私たちは日々、国会から企業、学校から家庭まで、空気を吸うようにメディアを利用しながら生きています。そうした日常のなかで、ソーシャルメディア上でどのようなコミュニケーションが行われ、個々人がそれとどう付き合うべきかというテーマは、政治家やマスコミ関係者だけでなく、私たち一人ひとりにとって重要な意味をもちうるようになっているのです。

メディア研究では、このようにメディアが社会の隅々にまで浸透し、そこに生きる人びとに大きな影響を与えるようになった状況を指して「メディア化（mediatization）」という言葉が使われることがあります。[1] 個々人が接する情報の量や中身が変わるだけでなく、経済、政治、社会のさまざまな制度のあり方がメディアからの影響を受けるようになっているということです。最近の例で言えば、コロナ禍によって学校や職場のオンライン化が一時的に進みました。そのことが何らかの影響をコミュニケーションや人間関係にもたらしたとすれば、それもメディア化の表れと言うことができるでしょう。

ただし、メディアは一方的に社会に影響を与えるわけではありません。メディア技術が採用されるのか、実際にどのような使われ方をするのか、いかなる変化をもたらすのかは、個人や社会によって大きく異なるからです。コロナ禍が一段落することで対面的なコミュニケーションへの回帰が起きていますが、これも技術利用に対して社会の側の論理が強い影響を与えていることの一例と言えるでしょう。

ソーシャルメディアについても同様であり、それらが一律に同じ影響を個人や社会に与えるわけではありません。はっきりと言葉にするのには躊躇《ちゅうちょ》しますが、ツイッターが好きな層とインスタグラムを好む層には何かしらの違いがあるような気がしますし、だとすればその影響にも違いがみられるでしょう。

したがって、本書ではソーシャルメディアの特性だけでなく、それを取り巻く政治的、社会的文脈についてもかなりの紙幅を割いて論じます。一見すると、ソーシャルメディアとは関係のなさそうなトピックが出てくることもありますが、背景情報として読んでいただけると幸いです。また、本書には見慣れない言葉がいくつか出てくるかもしれませんが、その都度、なるべく丁寧に説明していく予定です。

もっとも、本書を読んだからといって、現代の政治や社会のありようがすっきりと理解できるとか、ソーシャルメディア上を行き交う嘘《うそ》やデマに騙《だま》されないとか、ネット炎上しなくなるとか、そういったことは全くありません。私自身、何が事実で何がそうでないのかについて判断がつかないトピックは山のようにありますし、ネット上では何度か炎上しています。ましてや、こうすればネット上で頻発する激しい対立を緩和できるといった解決策も提示できません。

むしろ、本書を読み終えたあとに残るのは、モヤモヤとした不快感だけかもしれません。ただ、せっかく読んでいただいた方をモヤモヤさせただけで終わるのもいかがなものかと思いますので、本書の最後では現時点で私が考えるソーシャルメディアの「最良の可能性」について少しだけ述べておきます。個人としてソーシャルメディアといかに向き合うべきかを考えるためのヒントにしていただければ幸いです。

以上のゴールに向け、第一章では私自身が体験した炎上案件をおもな題材として、近年のソーシャルメディア上での重大争点である「表現の自由」をめぐる問題について論じます。テレビ番組や広告、ポスターなど、さまざまなメディア表現に対する批判がソーシャルメディア上で巻き起こる一方、それを表現の自由にたいする脅威として反発する動きも強くなってきました。ただし、表現の自由については法学の分野で膨大な議論の積み重ねがあり、それを包括的に論じるのは私の能力的にも困難です。そこで、ソーシャルメディア上で議論になりやすいポイントをいくつかに絞り、さらには法律論にはあまり寄せないかたちで議論を進めたいと思います。

第二章では、「表現の自由」の問題を離れて、インターネットを介したコミュニケーションそれ自体の特質について検討します。インターネットが普及していった時期、それが生じさせうる脅威を危惧する声が上がる一方、新たに生まれるであろう言論空間への期待もさかんに語られました。しかし現在では、そうした期待はかなりしぼんでしまっています。

この章ではネットを介したコミュニケーションがなぜ揉《も》めやすいのかをメディアとしての性質に即して論じてみたいと思います。ここでのポイントは、ソーシャルメディアがまさに「ソーシャル」であるがゆえに、公共的なコミュニケーションにおいて重要となる対等性の原理と摩擦を生じさせてしまうということです。

第三章ではソーシャルメディア上での対立において「被害者」としての地位をめぐる競争がなぜ生じるのかという問いから議論を始めます。一方では自分たちの被害者性を強調しながら、他方では敵対する集団のメンバーと思しき人物が被害者であることを否定し、バッシングを展開するという事態がしばしば生じるからです。

この章では、そこから米国における被害者政治の展開と、その背景となっている同国の政治的分極化についてより詳しくみていきます。日本の政治的、社会的状況とは大きく異なるとはいえ、米国で生じている現象は日本のソーシャルメディア上での対立を分析するうえでも参考になるからです。この章の重要な目的は、インターネット上における分極化との関連でしばしば言及される「エコーチェンバー」や「フィルターバブル」といった考え方に修正を加えることにあります。

第四章では、とりわけ日本のソーシャルメディアでの対立を考えるうえで重要になる「迷惑」の問題を取り上げます。戦後における社会変動の結果として、日本社会で暮らす人びとの行動様式や価値観は大きく変化してきました。一方においては彼／彼女らのマナーやモラルの水準は大きく上昇し、他方においては他者に対する寛容さを増してきました。にもかかわらず、ソーシャルメディア上では他者の迷惑行為にかんする論争や糾弾が頻発しています。

ここでは、礼儀正しく、他人を尊重するからこそ、他人のことが許せなくなるというパラドクス（逆説）について述べるとともに、その批判の矛先が時としてマスメディア批判へと向かうことを論じます。あわせて、ソーシャルメディア上でのマスメディア批判がいかなる背景のもとで展開されているのか、そうした状況のなかでマスメディアがどのように変化してきたのかについても検討します。

第五章では、民主主義とソーシャルメディアの関係という大きなテーマに目を向けます。

近年では世界的に民主主義が危機的状況にあるとの言論がさかんに展開され、危機を引き起こす要因の一つとしてソーシャルメディアの問題が論じられるようになっています。

ここではソーシャルメディアが民主主義にとってなぜ危険だとみなされているのかを論じ、とりわけそれが人びとをどのように沈黙させ、また分断するのかについて考察します。この章の最後では、ソーシャルメディア上で人びとを分断する境界線と、その境界線を決めるうえで大きな役割を果たす「争点の選択」という問題に焦点を当て、そこで生じている対立の性格についてより踏み込んだ考察を行います。

終章では、ここまでで詳しく論じることのできなかったカテゴリー化とシニシズムの問題に注目し、それらがいかにして対立する集団に関する嫌なイメージをつくりあげ、結果的に憎悪を強めていくことになるのかを説明します。さらに、それとは対極的な他者理解の方法をソーシャルメディアの「最良の可能性」として紹介することで結びにしたいと思います。

以上のように本書は、さまざまな学問領域や調査結果の知見を借りながら議論を進めていきますが、そのさいには私自身の経験や、大学生から私が聞き取った逸話なども紹介していきます。こう書くと主観と思い込みで書かれた本だと思われるかもしれませんが、それらはあくまでわかりやすく説明するための事例として考えていただけると幸いです。ただし、第一章のネット炎上経験については、当事者である私の見方がかなり入っていますので、その点は割り引いて読んでいただきたく思います。

また、本書が扱うのはソーシャルメディアのなかでも、とりわけツイッターが中心となります。私自身がもっとも馴染《なじ》んでいるというのが大きいのですが、いくつかの研究でも示されているように、他と比べてもツイッターでは大規模な対立が発生しやすいことから本書のテーマを考えるうえで最適なサービスだと言うことができます。なお、本書の執筆中にツイッターの名称が「X」に変更になりましたが、本書で取り上げる研究はほぼツイッター時代のものですので、本書も旧名称を使用します。

なお、念のために書いておくと、私のような立場の人間が自分のネット炎上について書くと、「最初から本を出すつもりでわざと炎上させたのではないか」と勘繰る人もいるかもしれません。当時においてそういう意図は全くありませんでしたし、今回のお話をいただいたときにも「ご自身の炎上について書いてください」と言われたわけではありません（長年にわたってツイッターをやっていると、どうしてもこういう「予防線」を張っておきたくなります）。ただし、そのようにシニカルな勘繰りが生じうること自体が、本書の重要なテーマの一つです。

その話は本編で改めて行うことにし、まずは二〇二〇年九月に私の身に起きた出来事から話を始めましょう。

目次＊Contents

第一章　「表現の自由」をめぐる闘争

1　私の炎上体験

きっかけのツイート

二〇二〇年九月一一日午前一一時四一分、いつものようにカフェで仕事をしていた私は、ふと思いついて次のような連続ツイートをしました。

銀河英雄伝説のリメイク。三期以降も続くのかな。もしそうなら、男女役割分業の描き方は変更せざるをえない気がする。旧アニメのままだと、さすがに時代にそぐわない。作品として大変に面白いのは踏まえたうえで。…なんてことを書いたら炎上するかな。実際のところ、昔のドラマやアニメをみていると、価値観の変化がもっとも顕著なのがジェンダーの描き方だという感はある。そういう変化を踏まえたうえで作品を楽しめばよいわけで、ジェンダー関係の指摘は作品を全否定することだというのは違うと思うんだけどな[1]。

『銀河英雄伝説』（以下、銀英伝と表記）をご存じない方も多いでしょうから、上記のツイートの背景を簡単に説明しておきます。一九八二年に出版が始まった田中芳樹の小説である銀英伝は、初登場から四〇年が経過した今も根強いファンがたくさんいる人気作品です。アニメ化やコミカライズ、ゲーム化などのメディアミックスもさかんに行われ、一九八八年から二〇〇〇年にかけて一度目の、二〇一八年からは二度目のアニメ化が『Die Neue These』として進行中です。

この作品の舞台となるのは、遠い未来、人類が地球を離れてさまざまな惑星に分かれて暮らしている宇宙です。そこでは民主主義体制をとる自由惑星同盟と、皇帝と貴族によって支配される銀河帝国という二大勢力が激しい戦いを繰り広げており（他にも勢力はあるのですが、ここでは省略します）、堕落した同盟側と、清廉かつ有能な独裁者を擁するようになる帝国側との対比がきわめて印象的に描かれています。

このように書くと、民主主義を否定し、独裁制を擁護するような作品に思われるかもしれませんが、実際には主要登場人物によって民主主義の理念が滔々《とうとう》と語られるなど、民主主義のあるべき姿を考えるうえでも勉強になる小説だとも言えるでしょう。

私は高校生のころに銀英伝に親しんでいたものの、その後は縁が切れてしまっていました。ところが、二〇一八年から『Die Neue These』の第一シーズンの放送が始まったことから、再びこの作品を視聴するようになりました。改めてみると、やはり大変に面白い作品です。二〇一九年から始まった第二シーズンも楽しく視聴していたのですが、続きが待ちきれなくなってきました。そのとき、私が加入しているアマゾンプライムで最初にアニメ化されたときのエピソードが全て公開されていることに気づきました。そこで私は、二〇二〇年の夏をそれらのエピソード（全部で一一〇話あります）の視聴に費やしていたのです。

それらも大変に面白かったのですが、少し気になることがありました。原作小説の発表が一九八〇年代、そしてこの初回のアニメ化も一九八八年に開始されているということから、作品内に登場する男女の描かれ方が少し古いように感じられました。女性が家事をするのが当たり前だということが前提になっているように思われたのです。決して褒められる水準ではないとはいえ家事をやっている男性の立場からすれば、登場人物の男性に「お前も家事をしろ」と言いたくなります。そこから、先に引用したツイートへとつながっていくわけです。

また、上記のツイートの最後、「…なんてことを書いたら炎上するかな」という一文には、昨今のツイッターにたいする私の印象が反映されています。二〇一三年ごろから、ツイッターの一部では「表現の自由」をめぐる論争が激しく展開されていました。きわめて大雑把に言えば、女性蔑視とみなされうるアニメ表現を批判する側と、「表現の自由」の原理に従ってそれらの表現を守ろうとする側との論戦です。

その批判側の急先鋒《きゅうせんぽう》とみなされているのが「社会学者」でした。確かに、アニメ表現に批判的な方々のなかには社会学者も含まれてはいるのですが、その数は決して多くありません。しかし、「社会学者」というカテゴリーはきわめて大雑把に使われており、中規模の書店に行って社会学の書棚を覗《のぞ》くと、そこにある書籍の半数以上が社会学者ではない著者によって書かれている……ということも珍しくありません。おそらくは「社会について物申す、学者っぽい人」がひとまとめに「社会学者」とみなされているのが現状ではないでしょうか。

私も自分のことを社会学者だとは思っていないのですが（社会学の正規教育を受けていませんし、そう名乗るのは恐れ多いので）、専門分野の一つに「政治社会学」と書くことはあります。また、当時は法政大学の社会学部に勤務していたこともあり、そうみなされるであろうことは明らかでした（ただし、同社会学部には経済学者、法学者、地質学者など、さまざまな分野の研究者が所属しています）。このような立場の人間が、アニメについてジェンダーと絡めて言及するのがリスクの高い行為であることもわかっていました。それが「…なんてことを書いたら炎上するかな」というフレーズの趣旨です。傍《はた》からみれば、「社会学者が今度は銀英伝にいちゃもんをつけてきた」という構図だったはずです。

ただ、上記のツイートには、もう一つの意図がありました。それは、可燃性の高い話題だからと言って、何も言えないというのはおかしいのではないか、という問題意識です。ソーシャルメディアは自由に発言できる場であるはずなのに、反社会的な内容でもないはずなのに、思ったことをつぶやけない。社会学者だろうと何だろうと、もう少し自由に議論を交わせないだろうか。そうした問題意識が「ツイートする」ボタンを私に押させた大きな要因になったのでした。

押し寄せる批判

そのツイートから数分後には批判的なリプライが私のもとに次々と寄せられるようになりました。仕事を片づけながらですので、ずっとツイッターをみているわけにはいきませんでしたが、それでもなるべく多くのリプライや引用リツイートに対して返信をするように心がけました。対話のなかで意見の一致とまではいかずとも友好的に話を終えることができた方もいたものの、いきなり罵倒されたので返信するとすぐにブロックされるといったこともありました。九月一一日は週末だったこともあり、その日は明け方までそうしたやりとりを続けました。

批判的なリプライを寄せてくる方の大部分は、私が何らかの手段によって表現規制を試みていると考えているようでした。「男女役割分業の描き方は変更せざるをえない気がする」という私の書き方も悪かったのですが、いずれにせよ私にはそんな意図は全く無く、先にも述べたようにもっと自由に議論できればよいというのが当初の意図です。そこで就寝前に次のようなツイートをしました。

なお、個人の感想ですので作品に何ら干渉する意図はありません。NHKに投書もしませんし、BPO（放送倫理・番組向上機構のこと：引用者）にねじ込んだりもしません。三期があるのを皆で祈りましょう。[2]

翌日、目を覚ましてツイッターをみると、事態はさらに悪化していました。なかでもインパクトが大きかったと考えられるのが、一二日早朝に五〇万人以上のフォロワーを抱える人気漫画家が行った「ていうか架空の数百年後を描いた異惑星の社会風俗が現代にそぐわないから変えろって言いだす社会学者やべぇよ」というツイートです。[3] 二〇二三年一二月の時点でこのツイートは約一万のリツイート、約二・七万のいいねがされています（炎上発生時から時間を経たために少し減少しています）。このツイートは私のものと一緒にツイッターのまとめサイトTogetterでも取り上げられ、多くのユーザーの目にとまることになりました。[4]

少し話は逸れますが、騒動の発端になった私の最初のツイートは、リツイートが一三二三、いいねが四五九となっています。一般に炎上ツイートの特徴として、数多くリツイートされるだけでなく、引用を含むリツイートの数が、いいねの数よりも多くなりがちだということがあります。リツイート数をいいね数で割ったものを「炎上度」とするなら、それが一以上になると炎上とみなせる場合が多くなるわけです（例外の一つが著名人の訃報ツイートで、いいねの数は少なくなる一方、リツイートは多くなります）。

先の私のツイートの炎上度は二・九ですから、紛れもなく炎上ツイートです。ただし、バズっているツイートでも〇・八ぐらいになるものがある一方、賛否両論型のツイートの場合には炎上度が低くても賛成意見のみならず批判意見もたくさん寄せられますから、炎上したとみなされる可能性があります。

たとえば、二〇二〇年四月のコロナ禍の初期、安倍晋三首相（当時）は、歌手の星野源が歌う「うちで踊ろう」に合わせ、自宅でペットとくつろいでいる動画をツイッターにあげました。このツイートには三五・五万のいいねがついており、炎上度は〇・三七です。しかし、数多くの厳しい批判が行われたことから、多くの人はこれを「炎上ツイート」とみなしました。

漫画家のツイートに話を戻すと、私は社会学者じゃない……というのはさておき、このツイートを読んだ人のなかには私が原作小説を書き換えろと言っていると解釈した人もいたようです。原作小説まで書き換えてしまうとそれが書かれた時代背景までわからなくなるので、仮にそういった意見があったとしても私はそれに賛同しません。しかし、とにかくそういう細かいことはどうでもいいんだという流れになっていきます。

「パブリック・エネミー」になる

このような騒ぎに追い打ちをかけてきたのが、「はてな」というサイトの匿名ダイアリーでした。二〇一六年二月に「保育園落ちた日本死ね！！！」というエントリ（書き込み）で注目を集めた、内容にインパクトさえあれば注目を集められるサービスです。

九月一二日の昼過ぎ、ここに「津田正太郎教授の規制論法の小ズルさ」という文章がアップロードされました。[6] はてな上での注目度の大きさはブックマークの数で測定され、一〇〇を超えると少し、三〇〇を超えるとやや注目されているというぐらいではないかと思います（はてな自体のユーザー数が停滞していることから、以前ほどの影響力はないとも言われますが……）。二〇二三年一一月の時点でこの文章は三三六ブックマークとなっており、四五九ブックマークである先述のTogetterのまとめと並んで、それなりにアクセスを集めたことがわかります。

タイトルからもわかるように、これは私に対してきわめて批判的な文章でした。内容について納得できる部分もあるのですが、私がツイートした動機についての記述が特に腹立たしく感じられました。

それによると、例のツイートによって「扇動」に成功していれば、銀英伝の制作陣には作り直しと謝罪が求められる一方、私はその「功労者」となる。「仲間の界隈《かいわい》で地位が高まり、そちらの方面からの取材も増え、講演や原稿の依頼も来て、法政大学内でのプレゼンスも上がる」ことを期待していた。ところが、その「扇動」に失敗したため、「個人の感想」というダサい言い訳を使って逃亡を図っている。それを許してはいけない。自分は安全なところから相手を刺しに行って、いざとなったら逃げを打つのは卑怯《ひきょう》だ。「そのダウトが通れば相手を殺すんだから、ダウト不成立ならお前が死ねよ？」というのです。

このエントリについているコメントはおおむね投稿者に好意的で、それらをみているとやや大げさではありますが、公衆の敵「パブリック・エネミー」にされるというのはこういう気持ちなのかもしれないとも思えてきます。

そもそも、私の専門はジェンダー論ではなく、性表現について取材を受けても言うべきことがないので困るだけです。また、ネットで多少話題になったとしても、学内でのプレゼンスが上がるということはまずありません。プレゼンスを上げたければ、真面目に研究をやって優れた論文や著作を書くか、他の教員が嫌がる仕事を積極的に引き受けるほうがはるかに効果的です。

もっと言えば、学内でのプレゼンスが上がるというのは、研究や教育以外の仕事が降ってくるということでもあり（なのに給料が上がるわけでもない）、私としてはむしろ避けたい事態です。もちろん、そうした仕事がまわってきても、引き受けるようにはしていましたが。

ともあれ、「作品についてもっと自由に議論できたらいいのに」という素朴な発想に基づくツイートだったのに、気がつけば自己顕示欲だけで表現規制に加担し、他人を陥れようとしているモンスターのような存在として語られるようになっていたわけです。

このエントリに関しては、はてなの利用規約で名誉棄損行為や侮辱行為は禁止されているので、削除を要請してはどうかとの助言もいただきました。しかし、「表現の自由」が論点になっているなかで、いかなる内容であろうと表現の削除を求めるような動きはむしろ反発を呼ぶだけではないかと考え、削除要請は行いませんでした（二〇二三年一二月現在、このエントリは消去されていますが、私の要請によるものではありません）。

ただし、炎上の件を受けてアマゾンで販売されている私の二冊の著作にいずれも星一つのレビューがついたことには対応を試みました。それらのレビューは炎上の件についてのみ語り、著作の内容にはいっさい触れていません。著作を読まずにレビューを書いているのは明らかでした。

この著作もそうですが、本というものは著者だけで作るものではなく、編集者や印刷業者、書店など、さまざまな人が関わってようやく読者のもとに届きます。それを考えると、私の不始末だけで本の内容とは全く無関係なレビューがつくのは許せないと思いました。

そこでアマゾンのサイトで当該レビューは違反だと報告したのですが、反応はなく、本稿執筆時点でもそのままになっています。しかしその後、私の著作をちゃんと読んだうえでレビューをしてくださる方が現れ、現在の評価はかなり改善されています。ネットも悪いことばかりではありません。

ともあれ、このように無数の敵意に囲まれていると、胃の下のあたりがずっとシクシクしているような感覚になります。実を言うと、私は二〇一一年にも大規模な炎上に関わったことがあります。九年ぶり二度目というと、まるで甲子園出場を決めた高校の野球部のようですが、全くもって嬉《うれ》しくはありません。前回の炎上は今回のそれよりもずっと規模が大きかったものの、私自身は当事者ではありませんでした。しかし、今回は最初から最後まで自分が蒔《ま》いた種ですから、どこにも逃げ場がありません。

炎上している人に対して「ネットから離れたら」というアドバイスが行われることがあります。しかし、炎上しているときというのは、ネットを開いていないときでもずっと嫌な感覚が抜けないのです。しかも、何が仕掛けられてくるのかを確認し、場合によっては対応する必要も出てきます。そのため、どうしてもネットを眺めてしまい、さらに嫌な気持ちになるというサイクルに陥ることになります。

そうやって九月一二日は、ただただしんどいなかで過ぎていきました。

ネットバトルの波

翌一三日も起床してすぐツイッターを開きました。とりあえず、前日の匿名ダイアリーの内容に対する反論を書きます。この雰囲気のなかでは無駄な行為であることは承知していました。

ところが、そのあともタイムラインを眺めていると、なんとなく雰囲気が変わったような感がありました。そのきっかけになったのは、前日の午後にあるライターがツイートしていた銀英伝原作本のスクリーンショットのようでした。[7]それは『Die Neue These』の放送開始を記念し、二〇一八年に新たに新装版として出版されたもので、巻末には原作者である田中芳樹のインタビューが掲載されていました。そのなかで田中は、私が先に取り上げた男性キャラクターが料理や家事をしない一方、彼と結婚した女性キャラクターの「笑える欠点」として料理が苦手だとの設定を行ったことについて「三〇年以上前だから許された表現なわけで、いまの時代にはそぐわないと思います。ヤン（上記の男性キャラクター：引用者）が料理や家事をしても良いわけですから」と述べていたというのです。[8]

さらに、この日の早朝には、「二〇一〇年来の銀英伝ファンからみた今回の揉《も》め事」というエントリがはてなの匿名ダイアリーにアップロードされていました。[9]四四六ブックマークを集めたこのエントリでは、もともと銀英伝での女性の描き方には古くから批判があり、私の指摘は別に目新しいものではないということが述べられています。しかも、原作を書き換えろというのではなく、これから新たにアニメ化するのであれば修正したほうがよい、という私の言いたかったことを正確に汲《く》んでくれていました。そして、このエントリの結論は「あの描写は時代にそぐわないからリメイク（再アニメ化）では変更したほうがいい」という意見を言っただけの個人に対して今回のような揶揄《やゆ》・嘲笑・攻撃が向けられる状況はやはり異常だと思います」というものでした[10]（念のために言っておきますが、このエントリは私が書いたものではありません）。

ネットでの対立には波のようなものがあります。二つの陣営があるとして、一方の陣営に有利な材料が出てくればそちらが攻め、他方は守備にまわります。そしてまた別の材料が出てくれば、攻守が入れ替わるという波です。原作者の意見と匿名ダイアリーの新たなエントリのせいか、私の主観では攻守が入れ替わったような感がありました。正直、「それみたことか！」という気持ちがなかったと言えば嘘《うそ》になります。

しかし、ここで私は考えてしまいました。原作者の発言を盾にして「それみたことか！」とやるのは本当に正しいのだろうか、ということです。私の書き方が悪かったという点は先にも述べた通りです。さらにもう一つ、全く意図していなかったこととはいえ、作品に外部から圧力をかけるような物言いになってしまったことも気にかかっていました。

私は以前、『ナショナリズムとマスメディア』という著作を書いたのですが、そこでの論点の一つが移民の流入に伴う文化変容でした。[11] さまざまなバックグラウンドをもつ人びとが同じ社会を形成するためには、生活様式や価値観をお互いに調整することが必要になります。そのさい、もともとその国に住んでいた人びとが外部から無理やり自分たちの生活を変えられたという印象をもつと、どうしても反発が起きやすくなります。そこで同書では、その発生を抑えるためには、何らかの変化が必要であったとしても、もとの住民がその変化を「自分たちの手でつかみ取ったもの」だと考えられるようにすることが重要だということを論じました。これは文化全般の話ですが、表現に対する批判にもあてはまる話だと私は考えます。

近年においてネットで頻発している表現への批判の一部は、やや性急すぎて「外部からの圧力」のようになってしまっている点が気になってはいました。私もまさにそういうツイートをしてしまったわけですが……。

そこで私は次のような連続ツイートをしました（抜粋）。

同じ変更をするにしても「外から押しつけられた」か、「制作者が自発的に取り込んだ」かでその意味合いは全く変わってくる。（…）「作り手が無理に変更を強いられた」という状況を生み出すのは誰にとってもよろしくない状況を生み出す。話によれば、ぼくが言ったようなことは原作者や再映像化のスタッフ、古参のファンの方々によってとうの昔に語られていたことだったという。だから、今回の騒ぎで「作り手が無理に変更を強いられた」というような印象を一部のファンのあいだで作り出すのであれば、それは非常によろしくなかったし、謝罪したいと思う。[12]

もちろん、こんなツイートをしたところで、騒ぎがすぐに収まるわけはなく、その後も攻撃的なリプライは続きました。ただ、私は著名人ではないため、炎上したとしてもその鎮化のスピードは速く、二、三日もするとしだいに収まっていきました（著名人の場合、何年にもわたって蒸し返されることがあります）。もちろん、全員が忘れたわけではなく、その後もしばらくは折に触れてこの話題を持ち出す人はちらほらいましたが。

ちなみに、全く偶然ではあるのですが、この騒ぎが起きた直後の九月一四日、『Die Neue These』の第三シーズンの制作が発表されました。この騒動はすっかり忘却されているので大丈夫だとは思いますが、もしこのせいで今後、変な注目のされ方をされてしまうことがあったならば、制作陣の方々には申し訳ないというよりほかありません。

2　表現の自由をめぐる論点

アニメ表現の影響とは何か

以上が私の体験談ですが、この騒ぎがおおむね収まったあとも、ネット上ではアニメや漫画の表現に対する批判をめぐって激しいやりとりが繰り返されてきました。たとえば、二〇二一年九月には、千葉県警が交通ルールの啓発のために公開していた女性バーチャルユーチューバーの動画が全国フェミニスト議員連盟から差別的だとの指摘を受けて削除される出来事が起き、議連に抗議する署名運動が展開されました。

また、二〇二二年四月には日経新聞に掲載された女子高生の胸部を強調する漫画の全面広告をめぐって論争が起きました。さらに同年一一月には立憲民主党所属の前衆議院議員が、JR大阪駅に掲示されたソーシャルゲーム（ソシャゲ）の女性キャラクターの大型広告を批判するツイートを行い、賛否を集めました。後者の件では前議員が脅迫を受ける事態にまで発展しています。

これらの件については、さまざまな論考がすでに存在しているため、興味のある方は調べてみてください。この問題の難しさは、いくつかの論点が複雑に絡みあっている点にあります。

まず取り上げたいのが、メディアの影響という論点です。女性の性的な部分を強調する広告が好ましくない理由として時に挙げられるのが、それが女性を性的なまなざしでみる態度を助長してしまうというものです。とりわけアニメ表現では幼い女性のキャラクターが好まれる傾向にあるため、それが未成年の女性に対する性的欲望を喚起してしまう可能性を危惧する声もあります。

しかし、広告が本当にそうした影響を生じさせるのかどうかは「わからない」というのが正直なところです。人間は普段からさまざまな表現に取り囲まれて暮らしています。メディアがこれだけ普及した今日では、人びとが一日に接する表現の量は以前の比ではないでしょう。そのなかから、たとえば「通勤の途中に駅でみた広告」がその人のジェンダー観にもたらす影響を測定するのは容易ではありません。

メディア・コミュニケーション研究の領域では、メディアのメッセージがその読者や視聴者に与える効果が長きにわたって調査されてきました。しかし、選挙のさいに誰に投票するのか、新たにリリースされたソシャゲを始めるかどうかといった限定的かつ短期的な意思決定にたいする影響であればともかく、ジェンダー観のような価値観に対する長期的な影響を測定するのは容易ではなく、何年にもわたる継続的な調査が必要になります。

さらに、メディアの影響という点で重要なのは、その因果関係の向きです。たとえば仮に、差別的な女性描写が含まれる映像作品を好む人びとには女性差別的な傾向がみられるということが発見されたとしましょう。その場合、「そんな映像ばかりみているから差別的になるのだ」とすぐに結論づけたくなります。しかし、それとは逆向きの因果関係、つまり「女性差別的だからそういう映像を好んで視聴している」可能性もあるわけです。後者の因果関係だけが存在するのであれば、女性差別的でない人がそういった映像を視聴したとしても影響を受けないということになります。

もちろん、もともと女性差別的な傾向をもっていた人が、そうした映像を大量に消費することで、よりいっそう差別的になるという補強効果が生じる可能性もあり、因果関係の向きやそのあり方については慎重な検討が必要です。最近では因果関係を解明するためのさまざまな手法も開発されていますが、それでもその向きを明らかにするのは容易ではありません。

加えて言えば、メディアが与える影響力の大きさには個人差があるのに加えて、さまざまな社会的、文化的要因によっても左右されますから、どの社会にも、いつの時代にも通用するような一般法則をみつけだすのはきわめて困難です。したがって、こうした論争で取り上げられる表現がそれをみた人にどのような効果をもたらすかは「わからない」としか言いようがありません。

それでもあえて言うならば、ある表現が単体でそうした価値観に大きな影響を与える可能性は低いと私は考えています。確かに、何らかの作品でみた性差別的な行為を模倣する個人が出てくる可能性は否定できません。しかし、作品に触れた何十万、何百万の人びとのうち、そこで描かれた行為をたった一人でも模倣する者がいるならその表現は許されないということになると、表現の幅は著しく狭められてしまうことになります。したがって、このような問題は、あくまでより大きな社会的影響という次元で考える必要があります。

とはいえ、メディアが人びとがすでにもっている意見や態度を変える力は限られているとしても、新たに意見をつくる力は大きいということは古くから指摘されています。[13] 読者や視聴者が予備知識をもたないことについてはメディアが伝える情報の影響力は大きく、したがってその責任もまた重大だということになります。

さらに、特定のメディアだけでなく、社会全体である種の表現が広く採用されていたならば、特定の価値観が増幅されていく可能性は確かに存在します。情報環境全体が特定の方向に傾斜している場合、個人でそれに抵抗するのは並大抵の難しさではないからです。たとえば、特定の集団への敵意を煽《あお》る表現が社会全体で広く共有されるならば、その集団への憎悪が広がるのは避けられません。

ただし、そうした場合にも、ある表現の広がりが具体的にどのような価値観の変化をもたらすのかは最初から決まっているわけではありません。アニメ表現の流行によってもたらされるのが、果たして女性差別的なものなのか、それとも特定の表現技法を「かわいい」と思うだけのものかはわからないということです。はっきりしたことが言えず、本当に申し訳ありません。

他方、こうした論争で取り上げられる表現に不適切な性的まなざしを助長する長期的影響がなかったとしても、問題である可能性は存在します。ここで検討が必要になるのは、それをみた女性の心理的安全にもたらされる影響です。

たとえば、かつての企業では職場に女性のヌードポスターが貼ってあることがありました。現在においてそれは厚生労働省の指針でも「環境型セクシュアルハラスメント」として避けるべき行動とされています。[14]

そのようなポスターを職場に貼るのが好ましくないのは、そのポスターが職場にいる男性の性欲をかきたてるからというよりも、そこで女性が安心して働くのを難しくするからです。性的なまなざしでみられることへの不安、あるいはそうしたまなざしによって不当に評価されてしまう不安がポスターによって喚起されるのであれば、それはやはりないほうが望ましいという判断になるでしょう。

ここで難しいのは、そのような不安を感じる度合いは人によって大きく異なるという点です。一人でも不安を覚える人がいれば掲示は許されないということになれば、あまりに多くのポスターの掲示が難しくなるでしょうし、かといって多数の女性が不安になるポスターをあえて職場に掲示するのも感心できる事態ではありません。

したがって、課題となるのは許容されるラインをどこに引くかを決めることなのですが、万人が納得できる線引きはおそらく存在しません。性的部分を強調する女性イラストを好む女性がいる一方で、そうしたイラストに不安でなくとも不快を感じる男性も存在します。私のみるところ、職場のヌードポスターは好ましくないという点では多くの人が合意できるとは思いますが、では駅に掲示された胸部を強調する女性アニメキャラのポスターはどうでしょうか。そこでもう一つ考える必要が出てくるのが、「駅」という場所の性格です。次に、この問題について考えてみましょう。

「公共の場所」とはいかなる場所か

アニメ表現に対して批判的な立場からしばしば提起されるのは、「私たちは表現規制ではなくゾーニングを求めている」という主張です。すなわち、閉ざされたところで性表現を楽しむのは全く問題ないが、それを公共の場所に掲示するのはやめてほしいというのです。

たとえば、二〇一九年一〇月には『宇崎ちゃんは遊びたい!』という漫画のポスターをめぐって論争が起きています。来日中の米国人によるツイートが発端となったこの論争では、「宇崎ちゃん」の胸の大きさを強調するアングルのポスターが新宿駅にある日本赤十字社の献血ルームに貼られていたことが問題とされました。この発端となったツイートの一部を抜粋、翻訳しておきましょう。

私は赤十字の仕事を称賛しているが、だからこそ性を過度に強調する宇崎ちゃんを使ったキャンペーンを日本赤十字社が行っているのにがっかりしている。この手のもののための時間と場所は別にあるんだ。はっきりさせておきたいのは、私はあなた方のこうしたフェチに反対しているわけじゃないということだ。あらゆる種類のエロティックな素材には、それに適した場所がある。（…）残念なのは、私がこの広告を見つけたのが、家族と一緒に昼食をとるために新宿駅を歩いている途中だったということだ。[15]

このツイートでも、表現そのものが問題視されているというより、それが駅という公共の場所に貼られていたことが批判されているのは明らかでしょう。それでは、そもそも公共の場所とはどのような場所なのでしょうか。

政治学者の齋藤純一は、「公共性」には①国家に関する公的なこと（official）、②特定の誰かではなく、全ての人びとに共通すること（common）、③誰に対しても開かれていること（open）という三つの意味があると述べています。[16] 齋藤はこの①、②、③がそれぞれ対立する関係にあると指摘していますが、ここで特に問題となるのは②と③のあいだの矛盾です。

まず、②の意味での公共性を重視するのであれば、現実的には万人にとっての利益をみつけるのが難しい以上、なるべく多くの人びとにとっての利益の実現を目指すことになります。「公共の福祉」や「公益」などがこの意味での公共性の使用例で、少数の人びとにとっては嬉しい表現であっても、多数にとっては不安または不快だという場合には、それを避けるべきだという結論になるでしょう。ここからわかるように、この意味での公共性は、しばしば少数者の権利を制限したり、個性を押しつぶす結果をもたらします。

他方、③の意味での公共性では、誰もがアクセスできることが重視されます。たとえば、一般の公園は誰でも入れる場所なので、この意味での公共性を体現する空間だと言うことができます。つまり、そこに誰が、何がやってきても排除してはならないということです。したがって、この意味での公共性を重視するなら、たとえ多くの人びとにとって不快な表現であろうとも、それを排除するのはまかりならんということになるでしょう。

ただし、その不快さが度を過ぎたものである場合、③の意味での公共性がむしろ排除を引き起こす可能性にも注意しなくてはなりません。極端な仮定をすれば、見るだけで体に痒《かゆ》みを感じるようなポスターによって埋め尽くされるような状況になると、多くの人にとってその場所はきわめて入りにくい空間になってしまいます。

いずれにせよ重要なのは、この②と③の意味での公共性のバランスをいかにとるのかということであり、②もしくは③のいずれかをどうやって徹底するのかということではありません。上述のように、②だけを突き詰めると公共性は息苦しくなりますし、③だけを追求しても実質的な排除を引き起こしかねません。

さらに言えば、公共の場所といっても、その公共性の度合いにはさまざまな違いがあります。たとえば、誰もが通ることのできる、あるいは通らなければならない公道や駅のような場所と、人びとが特定の意志をもって集う美術館のような場所、もしくは表現への接触を主目的としないオフィスのような場所では、求められる②と③のバランスは変わってきます。

判断の難しい事例を一つ挙げると、二〇〇六年にベルギーのシャルルロワにある写真美術館が、日本の写真家である荒木経惟《のぶよし》の展覧会を開催したことがあります。この展覧会にさいして、美術館の壁面には彼の作品である女性の裸体写真が掲げられました。しかし、この掲示に対して地元の住民から撤去を求める署名活動が起きたほか、掲示に向かって火炎瓶を投げつける者が出る騒ぎになってしまいました。[17] こうした動きに対して、美術館側は「批判する者は中に入らなければよい」と突っぱねたといいます。[18]

二〇一九年にあいちトリエンナーレで行われた「表現の不自由展」では、昭和天皇の写真が燃える表現が展示されたほか、元慰安婦の少女像が設置されていたことから、脅迫や暴力的な抗議が相次ぎました。それと同じく、火炎瓶を投げつけるような暴力的な抗議行動は論外と言わざるをえません。

しかし、あいちトリエンナーレと比べてシャルルロワの事例が難しいのは、問題とされたのが美術館のなかの展示ではなく、外に掲示された写真だったということです。この美術館は少し奥まったところにあるとはいえ、公道に面しており、そこからみえるところに女性の裸体写真が掲げられたわけです。

ただし、この事例にしても公道に面しているから裸体写真は掲示すべきではないと機械的に判断できるわけではありません。そこで問題になるのは人びとの「感性」であり、大部分の人が「芸術なのだから構わない」と判断するのであれば、上述の②と③のバランスはとれているということになるでしょう。

さらには、芸術であるか否かにかかわらず、公共の場において性的なものが忌避されること自体がおかしいという見方も可能です。法学者の白田秀彰によれば、西洋において性的なものが忌避されるようになったのはキリスト教の影響が大きく、それが近代に入ってから世俗的な社会のルールにまで入り込むようになった。[19] 明治維新以降、近代化を急ぐ日本社会にもそうした価値観が取り入れられ、性におおらかだったそれ以前の庶民の文化は消失していく。確かに江戸時代にも性的な出版物が禁止されたことはあったものの、それはあくまで性的なものと遊びが結びつき、贅沢《ぜいたく》さへの誘惑につながるとみなされた限りであった。つまり、性表現そのものが禁忌だったわけではなかったというのです。

したがって、日本社会の性規範が江戸時代以前のそれに戻っていくのであれば、公共の場所であろうとも露骨な性描写の掲示が受け入れられる可能性は高くなるはずです。しかし、現時点において性表現を不安や不快に思う感性をもつ人びとが多く存在するのであれば、公道や駅での掲示にはそれなりの配慮が求められることになるでしょう。

他方、美術館内部のような場所の場合には、空間的に閉ざされているがゆえに開かれた表現の場として機能すべきであり、③の意味での公共性がより重視されるべきだと考えられます。ただし、訪問者が作品を撮影することを許可している美術館も多く、その写真がソーシャルメディアで流通することで、作品が置かれた文脈が変わってしまう可能性にも注意が必要でしょう。

また、オフィスのような場所では、そこで働く人にとっての心理的安全がより重要になるはずです。たとえば、会社の経営者が、特定の民族を攻撃する文書を社内で配布するというのは、その民族をルーツとする従業員にとっては耐えがたい苦痛をもたらしますし、「表現の自由」としては認められないでしょう。

感性と言うと、要するに「お気持ち」なのだから無視して構わないと考える人もいるかもしれません。けれども、人間の社会生活が「お気持ち」を無視して成り立つとは到底考えられません。そうした感性は時代や文化によっても異なり、個人間での違いも大きいため、ここまでは大丈夫で、ここから先はアウトだという固定的な境界線を引くのは不可能です。言い換えるとそれは、法律論だけでは解決できない問題なのです。そのことが、終わることのない論争を生じさせる要因にもなっていると考えられます。

名作の「アップデート」は認められるか

アニメには限定されないのですが、表現をめぐる論点としてもう一つ挙げられるのが「アップデート」の是非という問題です。先に挙げた銀英伝がまさにそうなのですが、古くからある作品を再販したり、再映像化したりするさい、人種やジェンダーなどに関する表現を変更することの是非がしばしば話題になります。最近では、ディズニー制作の実写版『リトル・マーメイド』において人魚姫アリエルを黒人の歌手、俳優であるハリー・ベイリーが演じたことが議論を呼びました。

そうした「アップデート」に対して、しばしば行われる批判の一つが「それによって作品の質が上がるわけではない」というものです。つまり、変更によって作品がより面白くなるわけではないのに、なぜわざわざ手を入れねばならないのか、というのです。

しかし、それに対しては、手を入れないと作品としての面白さがむしろ下がってしまうという反論もありえます。昔のままの表現を残すことで、読者や視聴者を置き去りにしてしまう可能性が出てくるのです。

多くの場合、娯楽色の強い作品の登場人物は、それを視聴するであろう人びとが共感できるように造形されています。時代小説や時代劇にしても、本当に当時の価値観のもとで登場人物が行動したとすれば、楽しむのが難しくなってしまいます。時代劇の登場人物は当時の服を着ていたとしても、中身は現代人だと言われるゆえんです。

したがって、とりわけ古い作品を再映像化するさいには、どうしても価値観のすり合わせが必要になるのです。先に触れた『リトル・マーメイド』の場合、米国で白人が占める比率はかつてよりも低下しており、一五歳以下でみれば半数を下回っているという変化があると言われています[21]。すなわち、非白人の子どもでも共感できるヒロイン、ヒーローに対する需要が以前よりもずっと強まっているというのです。

近年の日本社会における価値観をみるとき、その変化がもっとも顕著に表れている領域の一つがジェンダーに関するものです。たとえば、NHK放送文化研究所の調査によると、過去四〇年のあいだに日本の人びとが描く「理想の家庭像」は大きく変化しており、かつて最大の支持を集めていた「父親は仕事に力を注ぎ、母親は任された家庭をしっかり守っている」という「性役割分担」を理想とする回答者は大きく減少しています。[22]他方、「父親も母親も、自分の仕事や趣味をもっていて、それぞれ熱心に打ち込んでいる」という「夫婦独立」や、「父親はなにかと家庭のことにも気をつかい、母親も暖かい家庭づくりに専念している」という「家庭内協力」を支持する人は大きく増加しています。

こういった価値観の変化を踏まえないまま、かつてのジェンダー描写をそのまま新たな再映像化作品においても採用してしまうと、それこそ視聴者に強い違和感を与えてしまい、作品に入り込むことができなくなってしまいます。実際、古い映像作品を視聴していて、夫が「おい、お茶」と言いつけ、妻が粛々と運んでくる場面などをみると、「昭和だなあ」という印象を強くもちます。

銀英伝の再アニメ化について言えば、この作品が執筆された一九八〇年代と比較して、現在では多くの国々で政治における男女バランスの悪さが指摘されるようになっています。形式的には参政権が平等に与えられていたとしても、女性が政治に参加しづらい構造が存在しており、結果として女性の意見が政治に反映されないことが問題視されるようになっているのです。[23]

こうした観点からすれば、民主主義体制が堕落、崩壊していくさなかにあってなお民主主義の理念を力強く語る人物が、旧来の性別役割分業を当然視するようなふるまいをしているというのは、作品としてのメッセージ性を著しく損なうことにもなります。一九六〇年代から一九七〇年代にかけて日本でも高揚した学生運動では、「人間解放」を掲げていたはずの男子学生が実際には女子学生に食事の用意を押しつけていたという告発が後になされることになりました。それと同じような偽善性を作品に与えてしまう可能性が生じうるのです。

もっとも、古い作品をわざわざ改変するのではなく、新しい作品を作ればよいという意見もあり、後述するようにそれには確かに説得的な部分もあります。しかし、古典的な名作が大幅なリニューアルによって再映像化され、新たなファンを獲得するというのは決して珍しいことではありません。コナン・ドイル原作のシャーロック・ホームズがBBC制作の『シャーロック』シリーズ（二〇一〇～一七年）として大胆に翻案され、世界中でヒットを飛ばしたのは記憶に新しいところです。この作品では、ホームズとワトソンという主要登場人物の性別こそ変わらないものの、原作に比べて女性キャラクターが活躍する度合いが明らかに増しています。

また、かつての名作には現在では使えない差別表現が含まれているのは珍しいことではなく、再映像化にあたってもそれらの変更はいっさいまかりならんということになれば、作品としての寿命はむしろ短くなってしまいます。他にどれだけ素晴らしい部分があったとしても、お蔵入りさせるよりほかなくなってしまうのです。もちろん、視聴する側が作品の時代背景を踏まえて楽しめばよいのだという意見もあるでしょう。しかし再映像化するのに、わざわざ批判を招くことがわかっている要素まで取り込めと要求するのは、古参のファンによる作品の囲い込みではないでしょうか。

とはいえ、ファンの心理として、そうした「アップデート」がきわめて不快な働きをする可能性も否定できません。そこで次に作品のストーリーとキャラクターという観点から、この問題について考えてみましょう。

作品解釈の多様性

メディア研究ではしばしば指摘されてきたことですが、フィクションであれ、ノンフィクションであれ、メディアの解釈には多様性があります。ここでまず注目したいのは、ストーリー重視か、それともキャラクター重視かという違いです。

評論家の東浩紀はかつて、オタク系コンテンツについて作品のメッセージや意味、あるいはストーリーの背後にある壮大な世界観（大きな物語）に対する興味が失われる一方、キャラクターのイラストや設定にのみ関心をもつ「キャラ萌《も》え」的な消費が出現してきたことを論じました。[24]思想やイデオロギーに対する関心が失われたことで「大きな物語」のニーズが縮小し、「萌え」要素をどのように組み合わせてキャラクターをつくるかが重要になってきたというのです。

一九八二年に連載が始まった銀英伝は、まさに「大きな物語」を背景とした作品です。先に触れたように、登場人物の背後にある世界や歴史を強く意識させる作品構成になっています。ツイッターが炎上したさい、押し寄せる批判ツイートに対して行った私の反論の背後にあったのは、銀英伝はまさにそのような性格の作品だからこそ、男女の性別役割分業を前提とする描写は作品のもつメッセージ性を損なってしまうという発想でした。

しかし、キャラクターを重視する立場からすれば、作品中の性別役割分業の描き方は、まさに作品の中核をなす部分だということにもなりえます。たとえば、男性キャラクターが家事をひどく苦手とすることも、愛する男性のために女性キャラクターが苦手な料理に必死で取り組むことも、それぞれのキャラクターの魅力を示す重要な要素になりうるのです。

ここで注意したいのは、ストーリー重視であれ、キャラクター重視であれ、いずれかの楽しみ方が「正しい」わけではないという点です。そもそも優れた作品はストーリーにもキャラクターにも魅力があることが多く、だからこそ多くの人びとを惹《ひ》きつけることが可能なのです。

さらに言えば、たとえストーリー重視の解釈をするにしても、私とは異なった解釈をする人がいるのも当然です。作品内で語られる事実関係を思い違いしているなどの理由で間違った解釈はありうるものの、正しい解釈は存在しないとも言われるゆえんです。[25]

ところが、作品内に何らかの差別性を見出す解釈は、それ以外の解釈を認めなくなってしまいがちです。この点について、ジャーナリズム研究者の伊藤高史は次のように述べています。なお、以下の引用文に出てくる「解釈コード」とは、特定の解釈の仕方という意味です。

差別的表現を規制していくことがわれわれに不安を抱かせるのは、無数の解釈コードが適用される可能性があるのに、特定の解釈コードのみが適用され、それが正当な解釈コードとされることによって表現の可能性が規制されていく場合である。[26]

もちろん、伊藤は誰がどうみても差別的である表現についてまで「解釈コードの多様性」

で正当化できると言っているわけではありません。差別としか言いようがない表現は存在するからです。それでも、作品解釈に幅がある以上、ある作品が差別的だと主張するのは慎重であってしかるべきでしょう。

これらの点を踏まえると、私の解釈に従ってキャラクター設定を「変更せざるをえない気がする」とツイートしたのには、無神経な点があったことは否めません。加えて、批判的なリプライに対する反応のなかで、性別役割分業に関する意識の変化を論じたのも、褒められた行動ではなかったように思います。「世の中の多数派はこのような価値観になっているのだから、それに倣ったほうがよい」という同調圧力と同じ論理になってしまうからです。この点については第五章で再び論じることにします。

とはいえ、先に述べた私の作品解釈について、それが間違っていたとは今でも考えていません。本来、作品に関する解釈や批判は、自由に行われるべきですし、場合によっては差別的だとの指摘も行われてしかるべきでしょう。それらもまた「表現の自由」に含まれるからです。

見方を変えると、先のアニメ表現の影響に関する議論や、公共の場所での掲示物に関する議論とは異なり、「アップデート」に関する議論では作品の完成度が問題となるのであり、どちらかと言えば作品論の領域に属する話だということもできます。

本来なら作品の完成度をめぐる意見でしかないものが、多くの人びとから批判されるのは、その意見に何らかの「影響」があると想定されるからです。

私の場合で言えば、大学教員の職にある者がアニメ表現の差別性を指摘することで、仮に私本人が何もしなかったとしても、私から影響を受けた人びとがテレビ局やアニメ制作会社に抗議をするかもしれない。あるいは、そうした抗議がなかったとしても、多くの人びとに知られることでクリエイターが委縮してしまうかもしれないといったことが心配されていたわけです。つまり、アニメ表現がもたらすものとは別種の「影響」がそこでは語られていたのです。

このように、ソーシャルメディア上での議論が難しい要因の一つは、作品の内容に関する議論が、それが発揮しうる社会的影響というトピックと簡単に入り交じってしまう点にあると考えられます。

おそらくここで必要になるのは、作品に対する批判と圧力は分けて考えるべきだという社会的合意でしょう。先に述べたように、作品への批判も（それに対する反論も）表現の自由に含まれる以上、それを自由に行う権利は認められねばなりません。ただし、作品が特定の集団に直接的な脅威をもたらすのでない限り、その作者、出版社、放送局などに対する電話や抗議デモなど、直接的な抗議をする（＝圧力をかける）べきではないという合意が必要だということです。

そうした合意が存在せず、作品に対する批判と圧力が同一視されてしまうために、嫌がらせをしてでも批判を封じ込めようとする行為に一定の正当性が生まれてしまうのです。言い換えれば、「あいつらを黙らせなければ、自分たちがやられる」という発想につながるのであり、それは批判の自由にとって重大な脅威となります。

合意によって嫌がらせをする人がいなくなることはないでしょうが、それでも作品批判を行う側もまた表現の自由を擁護する側に立てることになり、嫌がらせは決して正当化されないという主張を強化しやすくなります。

もちろん、批判は圧力ではない以上、それを受け入れるのも受け入れないのも、作品を生み出す人びとの自由ということになりますし、そうあってしかるべきです。それでは不十分だと感じる人も多いでしょうが、表現のあり方は一朝一夕にではなく、社会のなかで展開される言論の変化を受けて少しずつ変わっていくものです。そのためには、歩みは遅くとも粘り強い言論活動が必要になるでしょう。

いずれにせよ、こうした議論において私は「規制側」の人間ということになりました。けれども、私はかつて、現在とはやや異なる立場にありました。本章を締めくくるにあたり、私の「転向」の経緯について述べておきたいと思います。

3　表現の自由とヘイトスピーチ

表現の自由のコストを誰が負担するのか

以前、私は『表現の自由』という論文集に寄稿したことがあります。そのさい、私は次のように論じました。

（表現の自由は：引用者）時として苦しんでいる被害者をさらに傷つけ、多くの人びとの気分を害するという「不快な原理」なのである。したがって、その不快さに対する耐性こそが表現の自由を尊重する社会にとっては不可欠となる。逆に言えば、言論の妥当性を快／不快という基準でのみ判断する社会において、表現の自由はあからさまな弾圧が存在しなくとも容易に危機に瀕することになる。[27]

これは刑事事件において加害者側の事情や背景を説明する報道が、結果的に被害者をさらに苦しめ、多くの人びとを怒らせる可能性を念頭に書いた文章です。現在、ネット上で「表現の自由」を標榜《ひょうぼう》する方々がさかんに展開するのが「不快な表現だからといってそれを制約してはいけない」という主張ですが、先の引用文はそれとほぼ同じことを言っています。

また、その翌年に別の論文集に掲載した文章では、次のようにも書きました。

大衆の要求が様々に矛盾するものであるにもかかわらず、それらを反映させていこうとすれば、結局のところ当たり障りのない表現ばかりが流通するということにならざるをえない。（…）（メディアの：引用者）受け手の能動性が、表現の自由をかえって制約しているという事態を見ることができよう。[28]

この文章を書いたときに念頭にあったのは、ネットでしばしば巻き起こるクレームにクリエイターが左右されることで、「表現の自由」が脅かされるという事態でした。

現在においても、当時のそうした主張が誤っていたと考えているわけではありません。ただ、この時の私は「快／不快」について十分に考えが及んでいなかったと思います。それを痛感したのが、ネット上でのヘイトスピーチ問題です。

この問題が二〇一〇年前後に大きく顕在化する以前から、とりわけ匿名掲示板において在日コリアンの方々に対する誹謗《ひぼう》中傷が行われていることには気づいていました。しかし、それがソーシャルメディアに舞台を移し、しかも運動というかたちで組織化されるようになると、それまでとは次元の違う破壊力を生み出すようになりました。排外主義団体がネット上にアップしている動画では、文字にはできないような罵詈雑言《ばりぞうごん》や脅迫が繰り返されていました。ツイッター上でも在日コリアンユーザーに対する嫌がらせが繰り返されており、それは政治的な発言を全く行っていない方にまで及んでいました。

私はそれらのなかの一人の女性にツイッター上でどのようなリプライが寄せられているのかを検索してみたことがあります。スクリーンに映し出されたのは、ごく短期間のうちにその方に向けて発せられた膨大な数の罵詈雑言や中傷でした。そこに並んだ文字列の醜悪さを伝える言葉を私はもちません。攻撃されやすい属性を複数もつ場合（ここでは在日コリアンであることと女性であること）、その人物に対する攻撃はよりいっそう下劣になる傾向にあります。

今でこそ、そうしたツイートには他のユーザーが通報することで対処するようになり、わずかであれ事態は改善したように思います。さらに、ネットへの書き込みが裁判所によって差別と認定され、賠償が命じられるケースもみられるようになりました。しかし、最近ではトランスジェンダーの方々に対する誹謗中傷が目立つようになっており、ヘイトスピーチの矛先が転じただけという可能性もあります。

そのような状況を目にすると、次の疑問が浮かびます。「ヘイトスピーチも「表現の自由」なのだから、不快であっても我慢しなさい」と言うべきだろうか、という問いです。それを「不快」という言葉で片づけてしまっても良いのだろうか、と言い換えてもいいかもしれません。

ツイッターで多少の文句を言われることはあっても、日本で暮らす限り、私はどこを切り取ってもマジョリティ属性の人間です。国籍やジェンダーを理由に延々と嫌がらせを受けるということはありません。そのような人間がお気楽な立場から、「それも表現の自由を維持するためには避けられないコストなのだから我慢してくれ」とマイノリティの方々に言い放つのは欺瞞《ぎまん》ではないでしょうか。

法学者のジェレミー・ウォルドロンは、他人からの敵意や暴力、差別、または排除に直面せずに暮らしていけるという安心感を「公共財」としたうえで、ヘイトスピーチはまさにそうした安心感を奪うために行われるのだと論じています。[29]「お前たちを嫌っているのは私ひとりではない」として、そこにとどまる限り決して安心することはできないと伝えるのが目的だというのです。それに「我慢しろ」というのは、そのような雰囲気のなかで生活し、仕事をし、子どもを育てろ、と言っているのに等しいとウォルドロンは論じます。

転向というのは少し大げさな気もしますが、このようにヘイトスピーチ問題を契機として、表現の自由に対する私のスタンスは少し変わりました。日本の憲法学説では表現の自由は「それがいったんなくなってしまうと、異議申し立てをするのが困難になる」という理由から、特に強い保護が与えられるとされています。[30]しかし、ソーシャルメディアがこれだけ普及し、国家対私人だけではなく、私人対私人のあいだでも頻繁に表現が問題化する状況下では、以前とは異なる発想が必要だと私は考えるようになりました。表現がもつ差別性についても、それがマイノリティにとっていかなる意味をもつかについて、もっと真剣に検討すべきだと以前より強く考えるようになっています。

単なる多数者支配ではない、少数者の人権擁護を前提とする民主主義は、自由だけでなく、お互いの人格の尊重や相互信頼といった複数の価値のあいだでバランスをとることで支えられる体制です。そのなかで自由だけを尊重し、社会的に弱い立場にある人びとへの嫌がらせまでもが肯定されてしまえば、結果として表現の自由が民主主義を危機に陥れる可能性すらも生じることになります。[31]この問題については第三章や第五章で改めて検討することにします。

次の章ではこの問題をいったん離れ、ソーシャルメディア上ではなぜ激しい対立が生じやすいのかをインターネットのメディアとしての性格という観点から考えてみることにしましょう。

第二章　ソーシャルメディアの曖昧さと「権力」

1　ネット炎上とはなにか

「間メディア環境」におけるネット炎上

前章では、私が炎上した体験をもとに「表現の自由」について論じました。ただし、そのさいに「炎上」という言葉の意味を明確にしていませんでした。本章ではまず、その定義をするところから話を始め、コンピュータ・ネットワーク上でのコミュニケーションの性質という観点から、なぜネット上の議論は過熱しやすいのかを考えてみたいと思います。

社会学者の吉野ヒロ子は一般的なネット炎上の要件として、①不特定多数から批判されている、②急速に批判が広がっている、③複数のネットサービスで批判され、ネットニュースやマスメディアで報道されることを挙げています。[1]

私のケースは、①と②は満たしているものの、調べた範囲ではネットニュースやマスメディアでは報道されていないため、厳密には③の後半部分の要件を満たしていません。ただし、

③は炎上の規模を区別する指標としても利用でき、たとえばツイッター内だけで批判が完結するものを小規模、匿名掲示板である2ちゃんねる（現5ちゃんねる）や、まとめサイト、はてな、Togetterなどにまたがって批判が行われるものを中規模、ネットニュースやマスメディアが関わってくるものを大規模な炎上とみなせるでしょう。これに従えば、私が体験したのは中規模の炎上ということになります。

もっとも、有名人の炎上は注目されやすいということもあり、ツイッター内ではさほど注目も批判もされていない有名人によるツイートが、スポーツ新聞系のサイトなどで「炎上」として報道されるケースもみられ、この指標がうまくあてはまらない状況も存在します。

ともあれ、炎上の規模が拡大していくうえで重要な役割を果たすのが、こうしたメディア間の連関ということになります。メディア研究者の遠藤薫は、こうした連関が生じる状況を「間メディア環境」と呼んでいます。[2] すなわち、対面的なコミュニケーションとネットメディア、マスメディアがそれぞれに影響を及ぼし合うことで複雑かつダイナミックな情報の流れや変化が生じるようになっているというのです。

ただし、先の有名人の「炎上」報道がそうであるように、ネットでの炎上がネットメディアを経由してマスメディアで報道されるという一方向の流れだけが存在しているわけではありません。
現在のソーシャルメディアは人間関係や趣味、政治思想などの違いに沿って高度に分化しているため、ある界隈《かいわい》では大炎上しているトピックが、別の界隈では全く流れてこないということが頻繁に起こります。そのため、ツイッターのユーザーであっても、それに関連するツイートから直接に炎上案件を知るのではなく、テレビやネットニュース経由で初めて知ることが多くなります。[3]
しかもその案件は、報道されることによって「社会的に重要な出来事」であるとのお墨付きを得ることになります。それがさらに多くのユーザーのツイートを誘発し、結果として炎上をさらに拡大させていくことになるのです。

「間アプリ環境」の出現

もう一つ重要なのは、一口にソーシャルメディアといっても、さまざまなサービス（アプリ）があり、単体でみればその炎上のしやすさにはかなりの違いがあるということです。既存の人間関係を基盤として発達したソーシャル・ネットワーキング・サービス（ＳＮＳ）であるフェイスブックやラインは、リアルな知人とだけつながっていることが多く、炎上はさほど生じません（イスラエルでのネット論争に関する研究では、同じフェイスブックでも、誰にでも読み書きができるオープンな部分において激しい対立が発生したことが観察されています）[4]。

また、見ず知らずの人とつながることの多いインスタグラムやティックトックも、画像や動画の投稿がメインであるため、単体では炎上しづらいアプリです。ところが、それらに投稿された画像や動画、スクリーンショットがツイッターのような場に転載されることで大規模な炎上につながりやすくなるのです。

たとえば、二〇二三年一月に発生した回転寿司店でのいたずら行為は、当初、インスタグラムのストーリー機能（投稿しても二四時間で消える）を使ってアップロードされました。通常なら炎上しづらい方法です。ところが、それがツイッターやまとめサイトに転載されることで大きな炎上へと発展したのです。このように、近年の炎上は言わば「間アプリ環境」で発生しており、アプリ単体では完結しない点に特徴があると言えます。したがって、投稿者が「ツイッターのようなヤバいところに投稿しなければ大丈夫」と思っていても、予期せぬかたちで炎上の当事者となりうるのです。

ネット炎上を防ぐための方法として、炎上しづらいソーシャルメディアの開発が提案されることもあるのですが[5]、私がそうした解決策に懐疑的なのもそれが理由です。確かに、世の中のネットユーザー全員が炎上しづらいソーシャルメディアを使うようになるのであれば、そうした解決策にも意味はあるでしょう。しかし、間アプリ環境が存在し、しかも「揉《も》め事」が好きなユーザーが集まる場が存在する限り、炎上の発火点が別の場所に移るだけという結果になる可能性は非常に高いと思われます。

2 文字だけのコミュニケーションの困難

闘うパソ通ユーザー

このようなネット炎上は、ソーシャルメディアの利用が進み始めたころから注目を集めるようになりました。しかし、コンピュータのネットワーク上で見知らぬ人びとが出会い、激しく対立する現象は、それよりもずっと以前から生じていました。一九八〇年代から九〇年代にかけて人気を博した、いわゆる「パソコン通信（パソ通）」上での闘いです。インターネット老人会（隙あらばパソコンやネットの昔話を始めてしまう集団）の一員として、ここではまずその話から始めることにしましょう。

パソコン通信は、インターネットとは異なり、電話回線を通じて特定のホストコンピュータに接続しているユーザーだけが読み書きできるサービスでした。ニフティサーブ、アスキーネット、アサヒネット、PC-VANなどの大手のほか、草の根BBSと呼ばれる小規模なサービスも存在していました。それぞれのサービスの間の接続性は乏しく、一つのネットワーク内で完結しているのが特徴です（そのようにバラバラだったネットワークの「あいだ」をつなぐネットワークとして米国で誕生したのが「インター」ネットだったわけです）。

私が自宅からインターネットに接続するようになったのは一九九六年のことですが、それと同時にアサヒネットのパソコン通信も覗《のぞ》き始めました。当時のインターネットはまだ黎明《れいめい》期で、私にとってはあまり面白味が感じられませんでした。それに対して、アサヒネットではユーザー間の活発なやりとりがまだ行われており、私はそちらのほうに多くの時間を割くようになりました。

しかし、アサヒネットでは実名での書き込みが行われていたにもかかわらず、しばしば激しい対立や中傷が発生していました。それぞれの会議室にはモデレータと呼ばれる管理者がいましたが、住人同士、または住人とモデレータとのあいだで喧嘩《けんか》が起きるのは日常茶飯事でした。暴走する住人、制止しようとするモデレータ、その制止を「ナチスによる言論弾圧」になぞらえて、ハーケンクロイツ型のアスキーアート（さまざまな文字を組み合わせてイラスト風にしたもの）を投下する別の参加者……といった具合です。私が若いころからネットワーク上でのコミュニケーションにあまり楽観的でなかったのは、この時の経験があるからです。

パソコン通信上でのトラブルの事例としてよく知られているのが、ニフティサーブの「現代思想フォーラム」事件です。このフォーラムの「フェミニズム会議室」におけるユーザー間の対立が訴訟にまで発展し、最終的には誹謗《ひぼう》中傷の被害を受けた側に対して、それを行ったユーザー、フォーラムの管理者、運営会社にそれぞれ慰謝料の支払いが命じられることになりました。[6]

言葉が人間をつくる

このようにパソコン通信の時代から、ネットワーク上でのやりとりにはトラブルがつきものでした。その要因の一つは、それがまさに対面ではない、文字だけのコミュニケーションだったという点に求められるでしょう。

対面でのコミュニケーションの場合、その参加者にはお互いの「面目」を守ろうとする傾向があります。自分の面目を守るだけではなく、相手の面目をつぶさないように心がけるということです。[7] 相手の面目をつぶすことに躊躇《ちゅうちょ》しないと、周囲の人びとからの評価が下がってしまうことになりかねないからです。

とはいえ、それでも意見が食い違うなどの理由で、そのままではお互いの面目を保つのが難しい状況に陥ることがあります。そこで用いられる方法の一つが「なあなあ」で済ませるというやり方です。つまり、意見が食い違っていたとしても、表面的にはなんとなく合意しているかのようにふるまうということです[8]。

対面でのコミュニケーションでそれがやりやすいのは、記録や録音をしない限り、発せられた言葉は跡形もなく消えてしまうからです。残っていないからこそ、なんとなく意見が一致しているかのようにみせかけやすいのです。私自身、人と話をしていて「この人とは意見が合わないな」と内心では思っても、あたかも腹の底から同意しているかのようにふるまうことがときどきあります。

ところが、ネットワーク上で見ず知らずの相手とやりとりする場合、相手の面目を保たねばならないという意識はどうしても低くなります。相手を完膚なきまでに叩《たた》きのめすと、ギャラリーのひんしゅくを買うどころか、称賛されることも少なくありません。

しかも、文字によるコミュニケーションでは、それぞれが何を書いたのかが目にみえるかたちで残っていますし、それぞれの主張を支える論理もより明確になりがちです。口頭では

「なあなあ」で済ませられるかもしれない意見の食い違いが、文字だけのコミュニケーションではそれぞれの論理が可視的に、より明確に浮かび上がるために、落としどころがどこにも見出せなくなってしまうのです。

米国の妊娠中絶をめぐる論争が典型ですが、世の中には論理の次元ではどう頑張っても和解できない対立が存在しています。それぞれの主張を支える道徳観が根本から食い違っているからです[9]。

そうした状況でも妥協点を探ろうとするなら、論理的、抽象的な次元での話をいったん脇に置いて、対立する双方がかろうじて我慢できるポイントを実務的、具体的に探す必要が出てきます。文字だけのコミュニケーションによって論理の次元で戦い続けたとしても、そうしたポイントに到達できる可能性はきわめて低いと言わざるをえません。

また、文字だけのコミュニケーションは、内容以外の情報がきわめて乏しいのが特徴です。相手が怒っているのか、悲しんでいるのか、別にそれほどでもないのかがわかりにくいのです（メールの顔文字は、そういった情報の乏しさを補うための手段です）。そのため、関係がいったんこじれ始めると、相手からの返信が実際以上に攻撃的なものに思える可能性が跳ね上がります。昔から「メールで喧嘩になった場合、直接に会わないと仲直りできない」と言われるのですが、そのあたりに原因がありそうです。

さらには、「他人の目に入るところに意見を書く」という行為が生み出す問題もあります。世の中には自分の意見の一貫性を全く気にしない人もいるようですが、とりわけ人目につくところに書かれた言葉は、それを書いた人間を強く拘束しがちです。

意見を書いていなければ、または書いたとしても日記のように他人の目にさらされないところであれば、後にその意見を変えることに大きな制約はありません。ところが、人目のあるところに意見を書き、後にそれを変えることになれば、かつての自分が誤っていたことを人前で認めねばなりません。これはとりわけ、自分の意見にプライドをもつ人であればあるほど難しくなります。

したがって、最初は軽い気持ちで、あるいは「ネタ」として書いたことであっても、引っ込みがつかなくなることや、自分で書いた言葉を読み返すうちに自分自身を説得してしまう可能性が生じるようになります。「自分は絶対に正しい」という理屈を次々に生み出し、それによって自らの立場を固めていくことになりうるのです。結果として、何がなんでも自分の非を認められない、「謝ったら死ぬ」状態に陥ることにもなりかねません。

人間は言葉を放つことでコミュニケーションをしていますが、自分の放った言葉が自身をつくりあげていく側面も存在します。ソーシャルメディア上での誹謗中傷や差別的発言がたとえ当初は「ネタ」であり、しかも匿名で発するものであっても、その発言自体が人格を蝕《むしば》んでいく可能性には注意しておいたほうがよいでしょう。

3　メディアとしてのインターネット

インターネットのコミュニケーション特性

先述のように、パソコン通信時代からユーザー間の諍《いさか》いは絶えなかったのですが、インターネットの時代に入ると、その規模は一気に大きくなっていきます。そこで次に、メディアとしてのインターネットがもつ性格という観点から、揉め事が起きやすい要因について考えてみましょう。

インターネットの特性を考えるうえで恰好《かっこう》の出発点となるのが、他のメディアとの比較です。少し地味な話になりますが、お付き合いいただければ幸いです。

新聞やラジオ、テレビなどを介した、いわゆる「マス・コミュニケーション」の場合、情報を発信する側は、新聞社やテレビ局のように、ある程度の大きさになるのが一般的です。[10]しかも、それらが発したメッセージを受け取る人びとの数はそれに輪をかけて多く、数億人に達することすらあります。また、発信側と受信側が入れ替わる可能性はかなり低く、一方向的な情報発信がメインになります。

他方、電話での通話の場合、一対一でのやりとりが基本になります。「パーソナル・コミュニケーション」と呼ばれるゆえんです。また、一方が果てしなく話し続け、他方が一言も発さずにそれを聞き続けるという状況もなくはないでしょうが、電話では話す側と聞く側が頻繁に入れ替わるのが一般的でしょう。ただし、余談ではありますが、電話は対話のためのメディアとして登場したのではなく、当初は音楽や演劇、教会のミサを一方向的に発信する手段として用いられていました[11]。

そして、このようなコミュニケーションの規模の違いは、発信されるメッセージの性格にも影響を与えます。数百万、数千万の人間が視聴するテレビでの発言は、それだけ公的な性格を帯びやすくなります。もちろん、番組ジャンルによってもその程度には違いがあり、ニュースや討論番組に比べれば、バラエティ番組での発言は軽い扱いになります。他方、電話でのやりとりは通常、プライベートなものとされ、相手にもよるとはいえ気楽な発言がはるかに許容されやすくなります。

これらマス・コミュニケーションおよびパーソナル・コミュニケーションと比較した場合、

インターネットでのコミュニケーションの特徴は、その多様性と流動性にあると言うことができます。まず、メッセージを発信する側の規模は、マスメディアの公式サイトのようにかなりの人数であることもあれば、個人ブログのように一人であることもあります。メッセージを受け取る側の数も、数千万から数億人に達することもあれば、数人のこともあり、誰にも届いていない可能性すらあります。

しかも、当初は数人にしかみられていなかったメッセージが、何かのはずみに突如として数十万、数百万のユーザーに届くといった事態もありえます。哲学者の戸谷洋志の表現を借りるなら「友達と一緒に公園でサッカーをプレーしていたはずなのに、何かの魔法によって突然、満員のスタジアムにワープさせられたような状況」が生じうるのです。[12]

メッセージの受信側と発信側という役割のあり方も流動的です。多くのフォロワーを抱えるインフルエンサーの場合、通常は一方向的なマス・コミュニケーション型の情報発信ですが、他のユーザーとのやりとりを始めればパーソナル・コミュニケーションに接近します。ただし、それが他のユーザーからもみえるかたちで行われる場合、それはテレビ番組の出演者間の会話と同じく、実際にはマス・コミュニケーション型の発信だとも言えます。

こうした規模や役割の多様性、流動性は、そこで行われるコミュニケーションの性格を曖味にしがちです。もちろん、インターネットのなかでもその性格がかなり明確な場所も存在しています。政府や企業の公式サイトは、そこで表明されたメッセージに公的な性格を与えます。他方、2ちゃんねるのような匿名掲示板の場合、そこで行われるコミュニケーションはアングラなものだという一般の了解があり、だからこそ政府や企業はそこで公式の声明を発表したりはしませんし、大手企業の広告をみることもありません。[13] 匿名掲示板の全盛期においても、そこに書き込みをしていることは、なるべくなら隠しておきたい事柄でした。

　匿名掲示板のそうした性格は、二〇〇〇年代から二〇一〇年代にかけて2ちゃんねるやそのまとめサイトを起点として発生したネット炎上のあり方にも影響を与えていたと考えられます。

　当時の2ちゃんねるは、外部のブログやミクシィ、ツイッターから燃えそうな「素材」をみつけてきては、そのアカウント主の素性を探り、場合によっては自宅への突撃まで行うための情報交換の場として機能していました。その主要なターゲットになったのが、飲酒運転を自慢したり、性犯罪の加害者を擁護したりしていた大学生のツイッターアカウントでした。彼／彼女らは「バカッター」と呼ばれ、通学している大学や内定先の企業へのタレコミもさかんに行われていたのです。

こうした現象が発生した背景には、(たとえハンドルネームではあっても)アカウント主が明確で、アングラ色の薄いツイッターに対する、匿名掲示板愛好者の反発があったとも考えられます。ネット上で生み出される「集合知」に貢献する「名無しさん」であることにプライドをもち、自身の身元を隠すことに細心の注意を払っているユーザーからすれば、個人が特定できるかたちでツイートをするユーザーというのは、それだけで「バカッター」「ツイカス」にみえたのかもしれません。[14]

しかし、匿名掲示板の影響力が低下していく一方、ツイッターの普及が進むことで、後者のユーザーが燃やす側にまわるようになる事例が目立つようになっていきます(もっとも、使用するサービスが変わっただけで、実は同じ人たちがやっているケースもあるかもしれません)。

曖昧なソーシャルメディア

アングラ色がはっきりしていた2ちゃんねるとは異なり、ツイッターやインスタグラム、あるいはユーチューブのようなソーシャルメディアは、さまざまな性格のコミュニケーションを混在させている点にその大きな特徴があります。それらのサービスには政府や企業のアカウントが存在し、公式サイトと同様、そこで発せられるメッセージは組織としての公式見解を示すものとみなされるのが一般的です。

とはいえ、ソーシャルメディアの主役は、言うまでもなく一般ユーザーです。彼／彼女らによって発せられるメッセージは日常の愚痴から下ネタ、好きなアニメやアイドルに関する語りや動画、イベントの宣伝から真剣な告発まで実に多様なものが含まれます。企業の公式アカウントであっても、堅苦しい告知文だけでなく、時に親しみやすい文体を使い、ジョークを言うのが人気の秘訣《ひけつ》になっています。

ソーシャルメディアの魅力の一つは、まさしくそのようなコミュニケーション・メディアとしての性格の曖昧さにあります。硬いニュースと日常の出来事が入り交じって同じスクリーンに並ぶことが楽しさを与えてくれる部分もあるからです。しかし、その曖昧さが、ソーシャルメディアで揉め事が発生しやすい一因になっているのです。

まず、ソーシャルメディアは「公共の場」なのか、仮にそうである場合、それはいかなる意味においてなのか、という曖昧さがあります。もちろん、公開範囲が限定されたアカウントによって少人数の人びととだけやりとりをしている場合、それは私的な性格のパーソナル・コミュニケーションということになります。その一方で、公開状態にあるツイッターアカウントは公共性をもつとの指摘が行われることが少なくありません。

前章でも述べたように、公共性にはそれぞれに矛盾しうる三つの意味があります。①国家に関する公的なこと、②特定の誰かではなく、全ての人びとに共通すること、③誰に対しても開かれていること、です。ソーシャルメディアではこの三つの意味での公共性が入り乱れて現れることになるのです。

たとえば、本稿執筆時において、首相官邸のツイッターアカウントは①の性格を強く示しており、首相の動向を中心とする情報発信を行っています。他方、ツイッター上で人気の高い自民党の河野太郎のアカウントでも政府広報的な情報発信が行われている一方、親しみやすさを前面に打ち出すツイートも多く、必ずしも①の範囲にとどまっているわけではありません。さらに、河野はブロックを多用することから、③の意味での公共性を満たしていないとの理由で批判されることもあります。

また、ソーシャルメディアの性格を②の意味で解釈し、不特定多数の人間が目にする可能性があるのだから、公序良俗に反する投稿は避けるべきだと考える人もいるでしょう。しかし、③の意味で解釈すれば、不快であってもみなければよいだけのことで、マスメディア報道などにみられるさまざまな制約からソーシャルメディアの自由を守るべきだという発想になるかもしれません。②を重視する人と、③の立場にたつ人とでは、ソーシャルメディアの適切な使い方について意見が合う可能性はかなり低そうです。ソーシャルメディアと公共性の関係については他にも論点があるのですが、それは後述します。

なお、ツイッターについては、近年においてその状況が急激に変化しており、大手企業が広告の表示をとりやめるという報道もされています。[16]陰謀論をふりまいて差別発言を繰り返しているという理由で凍結されたアカウントが復活している状況と合わせると、そのアングラ化が進行していくことも考えられます。

メッセージ解釈のズレ

さて、ソーシャルメディアがもつこうした性格の曖昧さは、そこで発信されるメッセージの解釈にも多様性を生じさせることになります。もちろん、マスメディアによる情報発信でも、その受信者とのあいだで解釈のズレが生まれる可能性はつねに存在してきました。むしろそれは、物事に対する画一的な見方や価値観の押しつけをはねかえす現象として高く評価されることもありました。[17]それでも、新聞記事とはどのような性格のものなのか、テレビのバラエティ番組での発言をどの程度まで真剣に受けとめるべきなのかについては、発信側と受信側のあいだである程度の相互了解が存在していると言ってよいでしょう。

それに対し、ソーシャルメディアの場合、そのような相互了解が欠けていることから、発信側が思ってもみないかたちで解釈される可能性がどうしても高くなります。その典型的な表れが、先にも触れた回転寿司店などでのいたずら行為の炎上です。なかには炎上によって注目を集めることを狙っているケースもあるようですが、多くは「友人しかみない」「ウケるはず」という想定のもとで投稿されていると思われます。ところが、予想を超える規模でリツイートやシェアがなされることで、パーソナル・コミュニケーションがマス・コミュニケーションへと転化し、内輪の冗談が「迷惑行為」「営業妨害」として解釈されるようになるのです。

同様のズレは、激しい対立が生じている領域において特に顕著になります。ツイートした本人としては、たとえばアニメ表現について感想を述べただけであっても、あるいは問題提起をしたつもりであっても、それが「犬笛を吹いた」と解釈されれば、激しい非難を招くことになります。ここで言う「犬笛」とは、特定の仲間だけに伝わる合図のことを指し、それが吹かれると仲間がいっせいに特定のターゲットに攻撃を仕掛けると想定されています。アニメ『機動戦士ガンダム』に登場する兵器の名称から「ファンネルを飛ばす」と言われることもあります。いずれにせよ、この場合、発言者は自分のツイートを単なるつぶやきとして認識しているのに対し、批判する側はそれを政治的な攻撃のためのメッセージとして解釈しているのです。

言うまでもなく、ソーシャルメディアがもつこうした曖昧さは、建設的なコミュニケーションにとって大きな阻害要因になります。それがどのような性格の場で、いかなるルールを守るべきなのかという相互了解が参加者のあいだで存在せず、相手側の発言を可能な限りネガティブに解釈する誘因がある状況では、見ず知らずの人間とのあいだで難しい問題について話し合うのはきわめて困難だからです。

逆に言うと、建設的なコミュニケーションを行うためには、ある程度の管理がどうしても必要になります。たとえば、研究者が集って研究内容に関する報告や質疑を行う学会のような場でも、司会者がいるのが一般的です。研究報告が長すぎたり、質問者が長々と持論を展開し始めた場合、ストップをかけるためです。また、報告者への人格攻撃が行われるような場合にも、司会者にはそれを止める責務があります（さらには、質問が全く出ず、お通夜のような雰囲気になってしまわないよう、時には質問をしてあげるのも司会者の仕事です）。しかし、ソーシャルメディアに司会者はいませんし、敵対的なムードのなかでは誰が司会者たりうるのかという点ですら合意に至ることはないでしょう。

4　対等性と社会関係の摩擦

ソーシャルメディアの対等性

ソーシャルメディアの特性としてもう一つ挙げられるのが、その形式がもつ「対等性」です。最近のX社は課金ユーザーと無料ユーザーの差別化などを積極的に図っていますが、それでも基本的には誰もが等しく同じ一ユーザーだということが前提になっています。

もちろん、ある意味でこれは素晴らしいことです。これほどまでに多様な背景をもつ人びとが同じプラットフォームで、対等な資格で語ることのできるサービスの出現は、おそらく人類の歴史で初めてのことと言ってよいでしょう。一般ユーザーによる情報発信が本格化し始める一方、フェイクニュースの問題などがまだ顕在化していなかった二一世紀初頭、次のようにきわめて楽観的なインターネット像が描かれたのも、無理からぬことでした。

ブログの面白さ・意義とは、世の中には途方もない数の「これまでは言葉を発信してこなかった」面白い人たちがいて、その人たちがカジュアルに言葉を発する仕組みをついに持ったということである。いろいろな職業に就いて、独自の情報ソースと解釈スキームを持って第一線で仕事をしている人々が「私もやってみよう」とカジュアルに情報を発信し始めれば、その内容は新鮮で面白いに違いない。[18]

さらに言えば、対等性に基づく参加は、公共的なコミュニケーションを実現するうえできわめて重要だと考えられてきました。政治哲学者のユルゲン・ハーバーマスは、一八世紀のヨーロッパで出現した、自由な話し合いの空間としての「市民的公共圏」を成り立たせていた要件の一つが、まさにそのような「対等性」だったと論じています。[19]

社会的地位の高い人の発言だからという理由だけで重視されるべきではなく、地位の低い人の発言だからといって軽んじられるべきでもない。誰の発言であれ、その内容が優れていれば注目されるべきだという理念が出現した。逆に言えば、対等性が存在しない状況では、地位の低い人がどれほど優れた発言をしようとも、誰からも注目されないということにもなってしまう。

このようなハーバーマスの主張には多くの批判が寄せられており、たとえば当時において存在した他の公共圏、なかでも女性によって生み出されていたそれが彼の視野からは抜け落ちてしまっているという指摘は重要でしょう。[20] ハーバーマスは女性が主体となっていた集まりを「公共圏」とはみなしていないというのです。その一方で、ハーバーマス自身も、当時において公共圏が完全に実現されていたわけではないことは認めています。それでも、対等性が重要だという理念は共有されるようになったというのです。

ただし、対等性に基づく公共的なコミュニケーションが成立するためには、もう一つ重要な要件が存在しています。この点について考えるために、私自身が体験した出来事を紹介しておきましょう。

ずっと以前、とある会議に参加したときのことです。その会議では、ある女性の業務上での失態が厳しく批判されていました。そのとき、年配の男性参加者が「まあ、女の人なんだし、そんなに厳しく責めなくても」という発言をしました。すると別の女性参加者がすぐさま「その発言、撤回してください」と厳しい口調で反論したのです。

この女性参加者はなぜ、男性参加者に発言の撤回を求めたのでしょうか。大きなミスをしても、女性だという理由で大目にみてもらえるなら、女性としてはむしろ有利になるとも考えられます。しかし、「女性なのだから失敗しても批判されるべきではない」という発想は、「女性には重要な業務を任せるべきではない」という発想と表裏一体です。女性の側から発言の撤回を求める声が上がったのは、女性が対等な立場にあることを否定する論理がそこに含まれていたからにほかなりません。その男性参加者がある種の「やさしさ」によって先の発言をしたことに疑いはないのですが。

ここから言えるのは、公共的なコミュニケーションにおいて自らの存在を尊重されるためには、自身の言動に責任をもち、場合によっては批判も甘受しなければならないということです。責任や批判を引き受けない立場に身を置く限り、他の参加者がその仕事や発言を尊重するのは難しくなります。

別の例を挙げるなら、自分の子どもが大人に暴言を吐いたとき、親がその場を切り抜けるための方法の一つが「子どもの言うことなんで、気にしないでください」という釈明です。これは、元の発言者（子ども）が対等な地位にないのを強調することで、暴言がもつ意味を否定していると解釈できます（ちなみに私は幼いころ、大人に暴言をたびたび吐いて親を慌てさせたそうです）。

以上のように、ソーシャルメディアを公共的なコミュニケーションの場としてみなすのであれば、誰が発言したのかということよりも、その内容を重視する必要があります。そして、その内容に問題があるのならば、批判される必要も出てきます。対等だというのは、まさにそういうことなのです。

しかし、中高生から高齢者まで、生活に困窮する人から大富豪までが存在する空間において、そのような対等性を想定することにはやはり無理があるかもしれません。実際には、それぞれのユーザーが置かれている立場の違い、言い換えるならソーシャルメディアの外にある社会関係がコミュニケーションに何らかの影響を与えるのは避けられないからです。

そもそも、ソーシャルメディアが「ソーシャル」である以上、そこから社会関係の要素を抜き取ることは不可能です。人びとがもつ社会関係をもとにつながりが生み出されているラインやフェイスブックのようなSNSは言うまでもなく、リアルな社会関係とは切り離された関係が生まれやすいツイッターやインスタグラムであってもそれは変わりません。多くの人が、見ず知らずの匿名アカウントよりも、有名政治家や芸能人のアカウントをフォローするのも、すでに存在する社会関係があってのことです。

けれども、対等性に基づく公共的なコミュニケーションとそうした社会関係との相性は、控えめに言っても良くありません。政治哲学者のハンナ・アレントは、古代ギリシャの都市国家で優れた民主政治が行われていたのは、市民がそれぞれの社会関係から切り離された状態で話し合いを行っていたからだと論じています[21]（それが可能だったのは、市民の暮らしが奴隷によって支えられており、私生活を心配する必要があまりなかったからではあるのですが……）。

そこで次に、その相性の悪さがソーシャルメディア上でどのような問題を引き起こすのかをみていくことにしましょう。

ソーシャルメディア内の「権力」

改めて言うまでもないことですが、世の中にはさまざまな立場の違い、不公平、不均衡が存在しています。たとえば経済についてみると、日本でも「格差社会」という言葉がすっかり定着しました。日本ではごく一部の富裕層がさらにリッチになっていくといった現象は生じていないものの、所得の低い層がさらに貧しくなっていくという「低所得層の貧困化」が起きていると言われています。[22]

加えて、経済的に苦しい家庭に生まれ、学歴の面でハンデを負うと、より高い社会・経済的地位へと上昇するのが難しくなるだけではなく、そこで生まれた格差が世代を超えて受け継がれてしまうとの指摘もあります。[23] 生まれついた家庭によってその後の人生のチャンスが大きく変わることを表す「親ガチャ」という言葉が注目されたのも、記憶に新しいところです。

ジェンダーや国籍、肌の色などを理由とするマイノリティへの差別や偏見も依然として根強く、マジョリティからはみえにくいところで仕事や生活でのさまざまな困難に直面しています。

そして、このような社会関係に起因する問題は、当然、ソーシャルメディアにも入り込んできます。数年前、「子どもの貧困」問題がメディアで報じられたさい、そこで取り上げられた女子高生がツイッターなどで激しいバッシングを受けるということがありました。前章の最後で取り上げた、在日コリアンやトランスジェンダーの方々に対するヘイトスピーチも同様です。

その一方で、ソーシャルメディアの形式の対等性が、社会関係に起因する不平等、不均衡とは必ずしも合致しないかたちでの不均衡を生み出すこともあります。

たとえば有力な政治家や財界人、富豪であるユーザーに対してでも、一般人は対等にリプライをしたり、引用リツイートをすることができます。しかし、一般人がこぞって特定の有力者を批判するような状況になると、多くの人間が一人を袋叩《だだ》きにしているという構図が生まれることになります。

言い換えるならば、社会関係上での強者／弱者、またはマイノリティ／マジョリティの区分とは必ずしも合致しないかたちで、集合的な批判が特定の対象に向けられるということです。社会的にマイノリティに属している、もしくはマイノリティに親和的な立場をとるユーザーが、ソーシャルメディアのなかでは数にものを言わせてマジョリティの一員を集中的に批判し、沈黙させるということすらも生じえます。ブロックされているなどの例外はあるにせよ、相手がユーザーなら誰であれアプローチできるという対等性によって、一対多数という構図が簡単に成立してしまうのです。

　こうした観点からみたときに、特異な位置にあるのがジャーナリスト、大学教員、弁護士、著述家などのアカウントです。政治家や実業家などと比べると、彼／彼女らの大部分は、ヒトやカネを直接に動かせるという社会的な意味での権力からはかなり遠い存在です。しかし、彼／彼女らは言論活動に必要となる資源を相対的にはより多くもつため（実名で自由に政治的発言ができるというのは、そうした資源の一つです）、言葉のやりとりが中心となるソーシャルメディア内では「権力」をもつとみなされる側になります。

　加えて、彼／彼女らのなかには（おそらく筆者も含めて）「リベラル」とみなされる人物が数多く含まれています。リベラルというのは非常に曖昧なカテゴリーで、蔑称として用いられることも少なくないのですが、ここでは社会的弱者やマイノリティの人権を重視する立場という意味で用いています。

そしてそこから、ある種の倒錯が生じてしまうのです。つまり、ソーシャルメディアの対等性のもとでは有利な立場だとみなされるリベラルから支持されることで、社会関係上では弱い立場にある人びとが、結果的に強者の側にいるとみなされてしまうということです。この点について、メディア研究者の伊藤昌亮は次のように述べています。

右派の側からすれば、リベラル派はジェンダーやエスニシティに関わるマイノリティばかりを社会的弱者と見なし、守ろうとしているが、しかし実際にはむしろマジョリティのなかにこそ「真の弱者」がいる、彼ら自身がそうした存在だ、という。ところがリベラル派はその発言力、さらにはその知識や地位を盾に、自分勝手な正義感ばかりを振りかざし、自分たちが守りたいものだけを守ろうとする。その結果、真に守られるべき存在、すなわち彼ら自身が守られなくなってしまっている、という。[24]

「アテンションへの注目」と過剰評価

こうした現象が生じる理由をやや異なる角度からみれば、ソーシャルメディアではその形式が対等性に依拠しているために、アテンション（人びとからの注目）の価値が過剰に見積もられがちだということがあります。

どうすればより多くの人びとに商品を買ってもらえるかというマーケティングの議論では、まず消費者のアテンションを集めねばならないということが古くから論じられてきました。[25] 知名度の低い商品を売るのは難しいからです。

しかし、流通する情報の量がメディアの発達によって激増すると、ちょっとやそっとの宣伝では簡単に情報の渦のなかに飲み込まれてしまいます。だからこそ、アテンションの希少性とその価値がより強く意識されるようになってきたのです。まさに「アテンション・エコノミー」の時代です。

そのようなアテンションへの注目(ややこしいですね)は、商品を売ろうとする側だけでなく、一般人のあいだにも広がっています。ツイッターの場合、フォロワーの少ない匿名アカウントであっても、何らかのきっかけで突如としてバズり、知人から「ちょw　お前のツイート伸びすぎww　有名人じゃん」と言ってもらえる可能性があります。一般人であっても脚光を浴びる機会が存在するがゆえに、アテンションの価値が意識されやすくなるのです。

加えて、自分のツイートをバズらせたいと思っている人は限られているとしても、スマートフォンが普及し、人びとがあらゆる場所で、あらゆる時間にソーシャルメディアに接するようになることで、今、何がそこで注目されているのかについての関心は高まりやすくなります。何かのトピックがトレンド入りしたこと自体が話題になるのは、その表れと言えるでしょう。

さらには、アイドルファンのあいだでは、「推し」に関するハッシュタグを統一し、いっせいにツイートすることでトレンド入りが狙われることがあります。[26] また、ユーチューブ動画の再生回数もしばしば話題となり、「推し」の動画のそれを押し上げようとする動きもみられるようになりました。ソーシャルメディア上で応援対象のプレゼンスを向上させることを目指すこれらの動きも、アテンションが重視される傾向の表れと考えられます。

しかし、アテンション重視の潮流のなかでは、「リベラル」が社会的弱者やマイノリティの問題を積極的に取り上げ、それをマスメディアが報じるようになると、「あいつらばかり注目されてズルい」という心理が生じやすくなります。先に引用した伊藤昌亮の指摘にもあったように、「真の弱者」が無視されているという感覚が生じうるのです。

多少のアテンションを集めたところで、メディア外の社会関係に起因する差別や貧困がすぐに解消するなどということはありえません。確かに、それらの解決を目指す社会運動にとって、人びとのアテンションを獲得することはきわめて重要な課題です。[27] しかし、それ自体が問題の解決につながるわけではありません。
一例を挙げるなら、著述家のショーン・フェイは、この数十年のあいだに英国のメディアではトランスジェンダーがさかんに取り上げられるようになったものの、貧困や失業に苛《さいな》まれがちなトランスピープルの生活の実質的な改善にはつながっていないと指摘しています。[28]さらには、その多くが依然として社会・経済的に弱い立場に置かれているにもかかわらず、トランスピープルがあたかも権力を掌握し、それ以外の人びとを抑圧しているかのようなイメージすら広められるようになったというのです。[29]

このように、ソーシャルメディアの対等性がもたらすアテンションの過剰評価は、結果的に社会関係のもつ重要性から目を逸らさせる働きをしてしまいがちです。つまり、ソーシャルメディア内で発言力をもつ集団の権力が過大に見積もられる一方、その外側の社会関係の影響が軽視されるということです。場合によっては、社会関係において大きな力をもつ個人や集団が「ネットで叩かれてかわいそう」とみなされ、一種の「被害者」として位置づけられるということすら生じます。

有力政治家であろうが、大富豪であろうが、多くのユーザーから叩かれて気分が良いはずがないのは言うまでもありません。しかし、有力者の大多数はソーシャルメディアの目立つところで日々、自分の意見を発信したりはしませんし、多少の批判を浴びたところで社会関係による分厚い庇護《ひご》のもとに置かれています。そこからもたらされる力は、ソーシャルメディア上での多少のアテンションが与えてくれるものとは全く異質です。

アテンションに対する過剰評価は、そういった社会関係に起因する権力の格差をみえにくくしてしまっているのではないでしょうか。先に紹介したフェイの言葉を借りるなら、「(メディアでの露出がもたらす：引用者) 可視性が大きければ自動的に政治権力が大きくなるという発想は、誤った捉え方である」ということになるでしょう。[30]

とはいえ、ソーシャルメディア上での一対多数という構図が、さまざまなかたちで被害者意識を生んでいるという状況を否定することはできません。対立する双方がそれぞれにきわめて強い被害者意識をもつようになっている状況がネット上ではしばしば観察されます。次章ではこの問題を、政治的分極化の進行というより大きな文脈のもとで検討することにしましょう。

第三章　エコーチェンバーの崩壊と拡大する被害者意識

1　被害者の地位をめぐる競争

ネットバトルにおける被害者意識

本書でこれまで論じてきたネット炎上について、実は「燃やす側」の数は少ないということが知られるようになってきました。経済学者の田中辰雄と山口真一の推計によれば、炎上が発生したさいに何らかの書き込みをするのはネットユーザーのおよそ〇・五％、しかもその九割以上は感想を少し述べる程度だというのです。[1] したがって、複数回にわたって書き込みを行うのは数千人、炎上元に直接にアプローチするのは数人から数十人の規模だと推計されています。これは私自身の肌感覚にも合致するところで、誰かが炎上しているのをみにいくと、燃やしているのはいつもの面子《めんつ》……ということが頻繁に起こります。

とはいえ、その数人または数十人の背後には、はるかに多くの賛同者がいる可能性もまた否定できません。私の事例でいえば、炎上が広がるきっかけとなった漫画家のツイートには当時、二・九万の「いいね」がつきました。（私個人が認識されているのかは別として）万単位の人びとの反感を集めているという感覚は、普段の生活ではなかなか得られるものではありません。無数の人びとから白い目でみられ、批判される状況に置かれていると、あたかも自分が何らかの「被害者」であるような気もしてきます。ただし、私を批判している側からすれば、彼／彼女らが被害者なのであり、私こそが加害者ということになるわけです。前章の最後でも述べたように、現在のソーシャルメディアでは、対立している双方がそれぞれ自分たちを被害者、相手側を加害者とする語りがさかんに行われています。

アニメ表現をめぐる論争の場合、表現を批判する人の多くは、女性を性的に消費してきた社会の被害者として自身を位置づける立場にたっています。つまり、自分が求めていない相手から、または不適切な状況において性的なまなざしを向けられ、そのことが痴漢のような犯罪につながる一方、仕事で接している相手からのセクハラを生じさせてしまう。それとは逆に、性的な魅力に欠けているとみなされた女性は、その能力が不当に低く評価されてしまうということも起きる。身体の性的な部分を強調するアニメ表現は、そうした文化を体現する加害的表現ということになるわけです。

他方、アニメ表現を擁護する側にも別種の被害者意識がみられます。アニメの制作者や愛好者は誰にも迷惑をかけることなく、その表現を楽しんできた。ところが、根拠も乏しいままに自分たちが育《はぐく》んできた表現を「差別」として糾弾し、規制しようとする人びとが存在しており、このままでは表現の幅がどんどん狭められてしまう。この観点からすれば、(私を含め)自由な表現を封じ込めようとする人びとこそが加害者であり、アニメや漫画の制作者やファンはその被害者ということになります。

本章の最後で論じるように、お互いの関係性が被害者／加害者として認識される場合、両者の対話が建設的になる可能性は限りなく低くなります。しかし、ソーシャルメディア上での論争はまさにそうした形態をとるがゆえに、妥協の余地が全く生じなくなってしまうのです。

「傷つきやすさ・弱さ＝純粋さ・誠実さ」

それではなぜ、自らを被害者として位置づけようとする動きが顕著になっているのでしょうか。それを考えるためのヒントになるのが、今から半世紀前に庄司薫という小説家が出版した『狼《おおかみ》なんかこわくない』というエッセイです。以下では、ソーシャルメディアの問題を少し離れ、この作品を出発点として被害者になろうとする心理について考えてみることにしましょう。

　庄司によれば、若者自身の手によるものも含め、青春について論じた著作の多くが「若者＝傷つきやすく、か弱い存在」だという前提に立っているといいます。[2] しかし、自らの幼年期を振り返ってみると、その等式は全く成立しないとして、庄司は次のように論じます。

> 幼稚園や小学校においてすら、教室は権謀術数《けんぼうじゅっすう》（人を欺くたくらみ）の渦巻く場だった。たとえ成長途上の若者であっても、人に危害を加える力をもっている。しかも、そうした力は「自分は他人からなされるがままの無力な存在ではない」というプライドの源泉にもなりうる。ところが、若者はそういったプライドを簡単に投げ捨て、とにかく無力な被害者としての立場に自らを置こうとする。「被害者でありたい」というそのような心理の背後には、「傷つきやすさ・弱さ＝純粋さ・誠実さ」という発想や、「力」をもつ者に対する強い不信感がある。[3] つまり、「弱いやつこそ人間らしくよいやつで、強いやつほど悪いやつ」だということだ。権力者がしばしば非人間的で不誠実な加害者だとみなされるのも、こうした発想の反映である。

　庄司による次の記述は、被害者であることが免罪符になりうるがゆえに、誰がもっとも脆《ぜい》弱《じゃく》な被害者なのかをめぐって一種の競争が起きてしまう状況をコミカルに描き出しています。

「おれは頭が悪いから」「おれは貧乏だから」「おれは体が弱いから」……。よく考えてみれば、こういう言葉がなんの解決にもならぬことは分かりきっているのだが、こういった言葉が誰かから出たとたんに、そこには一種の「問答無用」の空気が若者の間ではできあがってしまう。もちろん「問答」が続く場合もあるが、それは、「いやおれの方が頭が悪い」「おれだって金がない」「おれの方が病気で苦労してる」といった方向で、ひたすらせり合うことになる。

そしてこの場合の勝利者は、すなわち一番能力が低くダメな「力」のない存在、競争においてもっとも傷つきやすく負けやすい弱い若者ということになり、そして彼は、言い換えればもっとも「加害者」から遠い「被害者」として一種の「免罪符」を獲得し、その「純粋さ」「誠実さ」を保証されるような感じになる。そして、どういったらいいか、たとえば「彼」の前に出ると、他の若者たちはみんなうしろめたい思いをする。[4]

ここでまず注意する必要があるのは、庄司が論じているのとは異なり、被害者になろうとする心理がみられるのは若者に限らないという点です。さらに、被害者の地位をめぐる競争が起きているという指摘が、現実に存在する被害の訴えを無効化してしまいかねないという点も重要です。つまり、「誰もが被害者になろうとしている」という主張が、本当に苦しんでいる人の訴えまでも数あるクレームの一つにしてしまいかねないのです。

実際、庄司にしても「ヒトラーも一ユダヤ人も、ともに人間として「加害者」であると同時に「被害者」であると述べることは、確かに人間一般の存在の仕方についての考えとしては正しいかもしれないが、実際問題としては「加害者」としてのヒトラーへの批判を不当に相対化してしまう効果」があると述べています。[5]

ここでアニメ表現をめぐる対立に話を戻すと、性加害が表現によって助長されているか否かは措《お》くとしても、性被害が実際に数多く生じていることを疑う余地はありません。二〇二三年八月から一〇月にかけて実施された東京都の調査では、女性の四割以上、男性の約一割がこれまでに痴漢被害に遭ったことがあると回答しています。[6]

さらに、二〇二三年六月には日本や中国などで実際に行われた痴漢の動画をネット配信することで利益を上げる在日中国人グループの存在が報道されています。[7] 映像に対する需要が、実際の被害をさらに悪化させるという構図まで生まれてしまっているのです（もちろん、これはあくまで盗撮映像であり、フィクションであるアニメ表現の話と混同されるべきではありません)。私の専門に近いところで言えば、『マスコミ・セクハラ白書』という著作をひも解くと、メディア業界で働く女性が社内や取材先でどれほど日常的にセクハラにさらされているのかが克明に論じられています。[8]

他方、アニメ表現に好意的な、いわゆる「オタク」と呼ばれる人びとについても、一九八八年から八九年にかけて発生した東京埼玉連続幼女誘拐殺人事件なども要因となって、偏見に満ちたまなざしを向けられてきた歴史があります。[9] また、一九九〇年代初頭には「有害コミック」追放運動が発生し、[10] 二〇一〇年には東京都議会で「非実在青少年」の表現に規制を設けようとする動きがみられました。[11] さらに、性的描写の多い作品に対しては自治体による「不健全図書」または「有害図書」としての指定が頻繁に行われており、その指定を受けると流通が著しく困難になるケースがあるとも指摘されています。被害者意識が生まれる理由は確かに存在するのです。

このように、被害者としての地位をめぐる競争はあるとしても、被害者/加害者という関係は現実に存在するのであり、被害の訴えを道徳的に有利な立場を手に入れるためのレトリックにすぎないと片づけることはできません。

非難される被害者

さらに言えば、被害者の地位をめぐる競争が存在する一方で、現実の被害者に対するバッシングがしばしば生じる点も見逃せません。何らかの被害を実際に被った人物に対して「自業自得」「自作自演」といった非難の言葉がしばしばぶつけられるのです。性別を問わず、痴漢やセクハラなどの被害を訴えた人物に対し、さしたる根拠もなくこうした言葉が向けられるのは珍しいことではありません。

一般に、このような被害者非難が生じる背景には「世界は公正だという信念」があると指摘されています。[12]「良いことをした人には良いことが、悪いことをした人には悪いことが起きる」という因果応報的な世界観は、その持ち主に道徳的なふるまいを促し、反社会的な行動を抑制するなど、ポジティブな効果をもつとされます。しかし、そうした世界観は「悪いことが起きたのなら、その人に落ち度があったに違いない」という発想をも生み出す傾向にあります。なぜなら、犯罪被害の原因が被害者側の「落ち度」にあると考えれば、「落ち度」さえなければ被害には遭わないという世界観を維持でき、安心できるからだというのです。

ただし、自分にとって世界は公正だという信念と、他人にとって世界は公正だという信念とを分けて考えたほうがよいとの指摘もあります。[13] 自分は頑張れば報われる環境にいると信じていても、他人は報われない環境にいると考えるパターンや、逆に自分は報われない環境にいるのに対し、他人は報われていると思うパターンもありうるからです。もちろん、自他のいずれにとっても世界は公正だと思う人もいれば、どちらにとっても不公正だと信じる人もいます。

性暴力は被害者の側に原因（酒に酔っていた、挑発的な服装をしていた等）があるという「レイプ神話」に関する意識調査によれば、男性のほうが女性よりも「神話」を受け入れているとの結果に加えて、世界の公正さに対する見方も影響しているとの報告が行われています。興味深いことに、他人にとって世界は公正だという信念は、確かに「神話」を受け入れて被害者を責める傾向と相関関係にあったのに対し、自分にとって世界は公正だという信念は逆に「神話」を否定する傾向と相関しているというのです。[14]

その理由としては、自分にとって世界は公正だと思える人は、わざわざ被害者を非難してまで安心感を得る必要はないのではないかという推測がなされています。したがって、自分にとって世界は公正／不公正だという信念に基づく区分と、他人にとって公正／不公正だという区分の組み合わせから生まれる四つの類型のなかでも「自分にとって世界は不公正だが、他人にとっては公正だ」という被害者的な世界観をもつ人は、特に被害者非難を行いがちだということになります。

そして、このような被害者的世界観は、とりわけ集団間の対立が生じている状況では広がりやすくなります。自分たちの側が一方的に痛みを強いられ、相手側は恩恵を受けるばかりだとの意識が強くなりやすいのです。そのため、相手側の一員と目される人物に被害が生じているのを認めたがらないという態度が生まれ、その被害を否定するために「自業自得」「自作自演」、あるいは「自意識過剰」といったバッシングが生じやすくなります。そのようなバッシングや嫌がらせが、それを受けた側の被害者意識をさらに強めるのは言うまでもありません。

より規模の大きな問題に目を移すと、歴史家の林志弦は「被害者」とは少しニュアンスの異なる「犠牲者」という言葉を使いつつも、自分たちが払ってきた歴史的な犠牲の大きさを強調することで道徳的に優位な立場を手に入れようとする国家または民族単位での動きを「犠牲者意識ナショナリズム」と呼んでいます。[15]

そうしたタイプのナショナリズムが日本や韓国を含む多くの国でみられるようになると、戦争や迫害で自分たちが払った犠牲を大きくみせようとする一方、他国や他民族の犠牲を可能な限り小さく見積もろうとする動きにつながる。言い換えると、相手側の犠牲の大きさを認めることが、あたかも自分たちの犠牲の否定を意味するかのような（一方が利益を得ると、その分だけ他方が損をする）ゼロサムゲーム的構造が生まれてしまうというのです。

二〇二三年一〇月七日にパレスチナのガザ地区を実効支配するハマスを中心とした武装集団がイスラエル領内に侵入し、民間人を殺害したことに続き、イスラエル軍が空爆と地上戦において多くのパレスチナの民間人を殺害する事態が発生しました。この出来事に関しても、対立する双方が自らの犠牲の大きさを強調しながら、他方の犠牲を否定するような動きをみせています。犠牲者か加害者かという二分法的な世界観のもとでは、犠牲者もまた加害者になりうることが見落とされてしまうとの林の指摘が改めて重く感じられます。[16]

2 米国における政治的分極化とその背景

イデオロギー的分極化と感情的分極化

これまでに述べた例からも明らかなように、被害者の地位をめぐる競争は、日本のソーシャルメディアのなかだけで生じているわけではありません。それどころか、そうした競争がより大々的に生じているとも言われるのが米国国内における政治的対立です。日本と米国では政治状況がかなり異なっており、米国で起きている現象をそのまま日本にあてはめて議論することには大きな問題があります。とはいえ、ソーシャルメディア上で集団間の対立が激化していく過程については共通している部分もあるので、以下ではこの問題の背景についてやや詳しくみていくことにしましょう。

近年の米国では「政治的分極化」の進行がしばしば懸念されるようになっています。米国の政治は基本的に民主党と共和党という二大政党を中心に展開されていますが、この二つの政党のあいだでの対立が以前よりも激しくなってきたというのです。

もう少し詳しく言うと、分極化には「イデオロギー的分極化」と「感情的分極化」という二つの側面があると指摘されています。イデオロギー的分極化とは、どのような政策を行うべきかをめぐって生じる対立の激化ということです。たとえば、妊娠中絶の承認や銃規制については民主党のほうが積極的な一方、共和党はそれらに強く反対するとともに不法移民の取り締まりを熱心に訴えるといった違いがあります。

それに対して、感情的分極化とは、要するにそれぞれの政党の支持者がお互いを嫌い合うようになる傾向を指します。たとえば、共和党支持者の過半数は民主党支持者を「怠け者」「不誠実」「非道徳的」と考えているのに対し、民主党支持者の過半数は共和党支持者を「心が狭い」「不誠実」「非道徳的」とみなしているとされます。[17] こうした対立は人間関係にまで及んでおり、自分の子どもが対立政党の支持者と結婚したとすれば「やや不幸」または「非常に不幸」だと回答する人の割合が以前と比べて大きく上昇したとの調査結果も存在しています。[18]

このような分極化の進行と深く結びついていると指摘されるのがアイデンティティの問題です。人種やジェンダーといった集団的アイデンティティの面でマイノリティに属する人びとは民主党を支持する傾向が強いのに対し、白人全体では共和党支持の割合が高く、なかでもジェンダーについて保守的な立場をとる福音派（キリスト教プロテスタントの一派）の白人は圧倒的に共和党を支持しています。[19] 移民の流入によって二一世紀半ばには非白人のほうが白人よりも人口が多くなると推測されていることも、白人のあいだでの危機感を強め、より党派的な行動を促しているとされています。

分極化の程度や要因をめぐっては多くの論争があり、それ自体が分極化しているとすら言われます。ただし、多くの研究者が同意する要因として挙げられるのが、政党のカラーが以前よりも鮮明になったということです。[20] かつての民主党や共和党はそれぞれの党内に多様な政治的立場の人びとを抱え込んでおり、どちらの政党が自分の希望する政策を実現してくれそうなのかが有権者にわかりにくいとの批判すら行われていました。たとえば、現在では人種差別に対して厳しい態度をとる民主党のなかにも、かつては人種の隔離や異人種間結婚への反対など、現在の視点でみれば差別的な政策を推進する議員が数多く含まれていました。[21]

　ところが、黒人差別撤廃を訴える公民権運動の高まりを重要な契機として、価値観やアイデンティティに基づく政党間の棲《す》み分けが進んだ結果、政党のカラーはより鮮明になっていきました。言い換えると、それぞれの政党の主張が過激になったというよりも、同じ主張をもつ人びとが政党ごとにまとまる度合いが強まったことが分極化の大きな要因だとされているのです。

　もっとも、そうしたかたちでの分極化の進行は、それぞれの政党の主張をより極端な方向に推し進める可能性をもっています。[22]政党の内部で意見の対立が存在する場合、党全体として行う主張は穏健な方向へと向かいがちです。党内での内輪揉《も》めは好まれないため、妥協が行われやすいからです。しかし、意見の対立が政党のあいだに存在する場合、それぞれの政党は、はばかることなく明確な立場をとれるようになります。そのことが政党間の対立を深め、妥協をより困難にしてきたとも言われています。

意見産業化・激怒産業化するメディア

政治的分極化のもう一つの要因として挙げられるのがメディアの変化です。一九世紀半ば以降における通信社の発達、および二〇世紀前半におけるラジオやテレビの発達は、人口の増加も相まって、膨大な数の人びとが同じニュースに触れる環境を生み出しました。[23]そうしたなかでジャーナリズムの職業倫理も成長を遂げ、報道の「客観性」が標榜《ひょうぼう》されるようになります。[24]言わば、非党派的な報道が利益につながる環境が生まれてきたのです。

また、放送メディアの場合には利用可能な周波数帯の関係で、設置できる局の数が限られていたのに加え、その社会的影響力が大きいという理由により、特定の党派に偏った放送は認められないという規制が設けられることになりました。[25]それが一九四九年に制定されたフェアネス・ドクトリンです。それにより、論争的なトピックを扱う場合、放送局にはバランスよく中立的に扱う義務が課せられることになりました。

ところが、一九八〇年代になるとマスメディアの分野にも規制緩和の波が押し寄せることになり、一九八七年にはフェアネス・ドクトリンも廃止されます。ケーブルテレビや衛星放送などが発達してメディアの数が増えた以上、一つの局がバランスのとれた報道を行う必要はなくなったとされたのです。

結果として、メディア報道のあり方は大きく変化していくことになります。一つはメディアが世の中で起きている出来事を伝えるさい、それに関する解釈や意見をより前面に押し出すようになったということです。メディア研究者のスティ・ヤーヴァードはそれをメディアの「意見産業」化と述べています。[26]日本の場合で言えば、民放のニュース番組や情報番組を思い出すとよいでしょう。

ただし、放送法によって「政治的に公平であること」「意見が対立している問題については、できるだけ多くの角度から論点を明らかにすること」をなおも義務づけられている日本の放送メディアとは異なり、フェアネス・ドクトリン廃止後の米国のメディアはさらに過激な方向へと進むことになりました。

先に述べた政党カラーの明確化も手伝って、明確な党派性に訴えて特定の層にアピールすることを目指すメディアが増えていったのです。[27]そのようなメディアが支持を集めるうえで有効な方法の一つが、対立する集団に対する怒りをかきたてることだと指摘されています。政治学者のジェフリー・ベリーらはそのようなメディアを「激怒産業」と呼び、その手法として、攻撃対象が行う主張の誇張、からかい、侮辱、中傷などを挙げています。[28]

ベリーらがその事例として挙げているのが、二〇一二年二月から三月にかけてサンドラ・

フルークという女子学生が保守系のラジオ・パーソナリティから受けた攻撃です。民主党から証人として議会に呼ばれたフルークは、自らの通うカトリック系の大学では避妊薬（ピル）に保険適用が認められていないため、多くの学生が経済的に苦しんでいることや、避妊目的以外でも適用が認められないために卵巣膿《のう》腫の治療にピルを使うことができず、若くして卵巣を摘出せねばならなかった友人の体験などを語りました。

これに嚙《か》みついたのが当時、保守系のラジオ・パーソナリティとして人気を博していたラッシュ・リンボーでした。ラジオというとマイナーなメディアだと思う人がいるかもしれません。しかし、自動車で長時間通勤を行う人の多い米国では、運転のあいだに聴取されるメディアとして無視できない存在感をもつと言われます。[29]

上記の証言でフルークが求めたのは、学生の出資に基づく健康保険（したがって大学や政府からの支出は行われません）をピルに適用することでした。[30] ところが、リンボーはフルークが公的支出を要求しているとみなし、「われわれが納めた税金でセックスをするつもりだ」と番組内で攻撃したのです。

リンボーはフルークを「ふしだらな女」と呼び、次のような言葉を次々と吐き出しました。「セックスをしないということを聞いたこともないのか」、「そんなにもセックスをしているのに、まだ歩けるというのは驚きだ」、「そうだ、ミス・フルークと他のフェミニスト(フェミニストとナチスを掛け合わせてリンボーが生み出したとされる言葉：引用者)ども、取引だ。もし、われわれがあんたがたの避妊にカネを払わねばならんというのなら、われわれが視聴できるようセックスしているところをネットで公開してくれ。そうすれば、支払ったカネでわれわれが何を得たのかがわかる」。

リンボーによるこれらの発言は多くの批判を集め、彼のラジオ番組からスポンサーの多くが撤退するという事態を招きました。それを受けてリンボーはきわめて形式的な謝罪を行ったものの、フルークに対する批判を後に再開させています。リンボーの番組はその後も保守派のあいだで高い人気を誇り、二〇二〇年二月には当時の大統領であったドナルド・トランプから民間人を対象とするなかでは最高位の大統領自由勲章を授与されています。

ここで注意する必要があるのは、このようなリンボーの発言が二つの方向からの怒りを引き出しうる点です。一つは「自分たちが支払った税金で性的快楽を得ようとしている」という誤解に基づいたフルークに対する怒り、もう一つは歪曲《わいきょく》と誹謗《ひぼう》中傷によって女子学生を攻撃するリンボーに対する怒りです。言い換えれば、彼の発言を真に受ける側も、それを批判する側も、結果として怒ることになるわけです。

以上のように、怒りをも一種の商材としながら、米国メディアの党派性は高まりをみせてきました。そうした党派性はメディアを監視する団体にすらみられ、それぞれの党派に属する監視団体が相手側のメディアを監視し、その「偏向」を攻撃する状況が生まれているとされます。[31]

さらに、政治やメディアの領域での分極化が進むなかで、時に用いられるようになったのが「被害者政治」または「被害者文化」という言葉です。端的に言うと、被害者としての自らの立場を強調することで優位に立とうとする政治、または文化のことを指します。そこで次に、米国においてそれらが語られるようになった背景をみていくことにしましょう。

被害者政治の背景

米国において被害者政治という言葉が語られるようになった背景にあるのが、マイノリティが直面する差別を告発する動きの高まりと、それに対する反動です。すなわち、差別を批判する声が高まるなかで、マジョリティの側から「われわれこそが本当の被害者だ」という主張が展開されるようになってきたのです。ある臨床精神科医によれば、フェミニズムへの異議を唱えたという理由で「性差別主義者」だと批判されるようになった人物は、しばしば自身を「逆差別」の被害者だと主張するようになると言います。[32] 政治的な論争では対立する相手の論法や語彙を使って逆襲をかけることが頻繁に起きるのですが、これもその一例と言えるでしょう。

とはいえ、こうした「逆差別」の訴えには、反撃のための単なるレトリックだと片づけられない部分もあります。というのも、差別への抗議はしばしば別種の差別を生み出してしまうからです。差別は悪しきことだという価値観が浸透した社会では、「あの人たちは差別をする」という主張が差別や排除の正当化に用いられることが起こるようになります。

米国の場合、南部諸州では黒人住民に対する差別や迫害がより頻繁に生じてきた一方、そこで暮らす白人を「偏狭」だという理由でさげすむ態度も古くからみられました。[33] 現代の米国では南部の白人労働者だけが「見下したとしても恥じ入る必要のない唯一の集団」だという声も聞かれます。[34] 加えて、米国の大学ではマイノリティの権利を主張する教員や学生が支配的になっており、それ以外の学生こそが抑圧されているとの意見も語られるようになっています。

米国のこうした被害者政治を体現しているとも言えるのが、共和党のドナルド・トランプ元大統領です。彼は白人であり、男性であり、富豪であり、一時は大統領にまで上り詰めた人物です。[35] 社会的属性の点では被害者からもっとも遠い存在であるにもかかわらず、彼は自身を「被害者」として位置づけてきました。[36] この場合における「加害者」はマスメディアや政敵であり、さまざまな「フェイク」によって彼は攻撃され、陥れられているという主張を日常的に展開してきたのです。

しかし、世界でもっとも大きな権力をもつ人物が被害者だというのは、どうしても無理があります。そこでトランプやその支持者が飛びついたのが、「ディープステイト」なる集団によって米国は操られているという陰謀論です。[37] より強大な存在を想定することで、彼を被害者として位置づけやすくなるからです。

先に紹介した「強いやつほど悪いやつ」という言葉になぞらえて言えば、自分たちの被害者としての地位を安定させるべく、実在する「悪いやつ」の力を過大に評価して「強いやつ」にしたり、「強くて悪いやつ」の存在をでっち上げるといった操作が、こうした状況ではしばしば行われるのです。

また、トランプを支持する人びとのあいだにも、根強い被害者意識が存在すると指摘されています。彼が登場する以前の共和党の政治家を含め、都市部に居住するエリートが推進してきたグローバル化によって安定した雇用が奪われたことに憤慨する白人労働者こそ、二〇一六年の大統領選挙で彼が勝利する原動力になったというのです。[38]先にも紹介したリンボーによる以下の発言には、白人としてのそうした被害者意識が強く反映されていると言えるでしょう。

（トランプの前の大統領である：引用者）バラク・オバマの政権でどうやれば出世できるかを知ってるか？　白人を憎むことによってだ。白人を憎んでいるとか、白人は良くないだとか、そんなことすら言ってもいい。今度は白人が抑圧されたマイノリティになる。白人の口は塞がれているから、従うしかない。白人はもうバスの後ろ側に移動させられるんだ。[39]

この引用の「バスの後ろ側」のくだりは、かつての南部諸州では黒人はバスの後ろ側に座るように強制されていたという経緯を踏まえており、今では白人こそが差別の被害者なのだという意識の表れと言えるでしょう。

ただし、困窮した白人労働者がトランプの主要な支持者だという主張は事実ではなく、彼の勝利を実質的に支えたのはかなり富裕な層だったとの分析もあります。[40]それでも、「マジヨリティである白人こそが本当の被害者だ」という声は広く聞かれるようになっていると言われます。[41]

一般に、政治的分極化が進行している社会では、対立する双方の側に強い被害者意識が生じるのは避けられない部分があります。社会学者のジグムント・バウマンは「（敵対集団の……引用者）メンバーに対する非道な行為は道徳的な呵責《かしゃく》を生じないのに、ずっと穏当な行為が敵によってなされた場合、容赦のない非難が求められる」と述べています。[42] つまり、相手側に対して行われたのであれば「正当な罰」として痛快に感じられるのに、それと同じ（もしくは、もっと穏当な）行為が、自分たちの側に向けられたならば「不当な嫌がらせ」と解釈され、相手側に対してより強い憎悪と被害者意識を生み出しうるのです。

ツイッター上で自分の嫌いな人物が炎上している様子を想像してみてもいいかもしれません。その人物を批判している人びとの論理はしごく「真っ当」で、それらの批判が集中するのは当然だという気持ちになりがちです。ところが、その人物を支持または応援している側からすれば、それらの批判は難癖でしかありません。そのような難癖が集中的にぶつけられるのは「いじめ」というより他なく、炎上している本人だけでなく、その人物を支持または応援している人びとのあいだにも集団的な被害者意識が蓄積されていくことになります。

さらには、被害者としての立場がもつ道徳的優位性が意識されるほどに、「被害者でありたい」という心理は働きやすくなり、場合によっては被害のでっち上げすらも行われることになります。たとえば、トランプが大統領選に勝利した直後、米国のある大学ではマイノリティの女子学生が三人の白人男性から投石され、人種差別的な中傷を受けたと訴えました[43]。しかも、それらの男性はトランプ支持のTシャツを着用していたというのです。ところが実際には、襲撃を受けたとされる場所に彼女は行っていませんでした。彼女はトランプを支持する自分の家族に腹を立て、虚偽の被害報告を行ったと警察は結論づけています。

以上のように、米国の政治的分極化は、民主党と共和党の対立軸を中心として進行し、双方の側に被害者感情を生み出すようにもなっています。ただし、そのような対立を、それぞれが支持する政策の違いの拡大（イデオロギー的分極化）とみなすのはやや早計です。というのも、対立が深まっていくなかでは、政策の違いだけでなく、それぞれが相手側に対してもつイメージが重要な役割を果たすとも言われるからです。その点を考えるにあたって次に紹介したいのが、「偽りの分極化」という概念です。

偽りの分極化はどのように進行するのか

大まかに言うと、偽りの分極化とは、双方の政党の支持者が自分たちと相手側との違いを過大に見積もるようになる現象を指します。ここで注意が必要なのは、政党のカラーが以前よりも鮮明になったことで、多くの有権者はそれぞれの政党がどのような政策を推進しているのか（民主党は福祉の拡充に積極的なのに対し、共和党は減税に積極的である等）を以前よりも正確に理解するようになっているということです。その点だけでみれば、偽りの分極化の度合いは、以前よりもむしろ小さくなっているとも言えます。[44]しかし、より大きな問題として挙げられているのが、相手側の多くが「過激な意見」を支持しているという誤ったイメージの広がりであり、それこそが偽りの分極化だというのです。[45]

たとえば、「適切にコントロールされた移民の受け入れは米国にとって良いことだ」という主張について考えてみましょう。[46]一般的には共和党支持者のほうが不法移民の取り締まりに肯定的ですから、彼／彼女らの多くは「米国には一人たりとも移民を受け入れるべきではない」と考えているのかもしれません。仮にそれが正しければ、共和党支持者の多くは移民受け入れを肯定する先の主張に反対するでしょう。民主党支持者による予測の平均では、この主張に賛成する共和党支持者はおよそ半数（五二％）だと見積もられています。ところが、実際には共和党支持者の大多数（八五％）がこの主張に賛成しているのです。

他方、米国では警察官による黒人への差別的対応がしばしば問題とされ、マイノリティからの支持を多く集める民主党やその支持者もこの問題に関しては警察に厳しい態度を示しがちです。もしかすると、彼／彼女らは警察官を憎んでいるのかもしれません。共和党支持者の平均的な見立てでは、民主党支持者の半数（四八％）が「ほとんどの警察官は悪人である」という主張に賛成するだろうと推測されています。しかし、実際には大多数（八五％）の民主党支持者はこの意見に賛同しないと回答しています。

こうした認識のギャップは他のいくつもの主張にみられ、「人種差別は米国になお存在している」「多くのイスラム教徒は良き米国人である」という主張に多くの共和党支持者は同意しているにもかかわらず、民主党支持者はその割合を低く予想しています。他方、「米国に欠陥があることは認めるが、私は米国人であることに誇りをもっている」「性暴力に関する虚偽の被害申告から男性を守ることは重要だ」という主張に多くの民主党支持者は賛成していますが、共和党支持者はそれをかなり低く推測しています。このように、偽りの分極化とは、相手側が過激な意見を支持していると双方がイメージすることで生じる現象を指すのです。

それでは、偽りの分極化はどのようにして生じるのでしょうか。ある研究はそれが生じる過程を、①カテゴリー思考、②単純化、③怒りの増幅という流れによって整理しています。[47]

まず、①カテゴリー思考とは、気に食わない人びとに何らかのレッテルを貼り、彼／彼女らが自分たちとは全く異なった異常な存在だと想定することです。

伝統的なカテゴリーとしては「共和党」「民主党」「右翼」「左翼」「リベラル」「保守」などがありますが、それ以外にもたとえば先に触れた「フェミナチ」なども挙げられます。「ウォーク（WOKE）」も、かつては人権やジェンダーに基づく差別に対して強い批判意識をもつ人びとの自称だったものが、現在ではそうした人びとを攻撃するための蔑称として用いられるようになっています。

次に、②単純化とは、相手側の主張を単純化し、その細かい（が、重要な）部分を抜き去ってしまうことです。それによって、隙だらけの論破しやすい主張や、合理性を欠いた感情的な主張、もしくは社会を根底から揺るがしかねない極論へと転換されるのです。この過程を経ることで、「冷静で合理的な」自分たちの主張との差異が際立つことになります。

最後に、③怒りの増幅とは、カテゴリー思考や単純化によって生じる相手側への憤りが増幅されていく過程を指します。先に述べたように、政治家やメディアに登場する人びとはさまざまなレトリックを駆使しながら、攻撃対象への憤りを増幅させていきます。ここで重要なのは、そのような憤りが強まるほどに、カテゴリー思考や単純化がさらに加速していく点です。要するに、怒りが強まっていくなかでは、「相手側にもいろいろな主張の人がいる」とか「相手側はもっと丁寧な議論をしている」といった声は「そんな細かいことはどうでもいいんだよ！」という声にかき消されていくのです。

しかも、先ほどのフルークとリンボーの事例でもそうだったように、この過程は双方向に作用します。一方には、対立する集団が展開しているとされるひどい主張に憤る人びとがいます。他方には、変なレッテルを貼られ、言ってもいないことを言っているとされ、自分たちに憤っている人がいることに憤る人びとがいるわけです。かくして党派間の嫌悪感はどんどん増し、先に触れた感情的分極化が進行していきます。

「嫌がらせ」としての政策志向

このような感情的分極化について指摘されるのは、それが必ずしも仲間に対する好意的感情の高まりを意味しないということです。[48] つまり、集団としての団結力が高まり、仲間を以前よりも好きになったというよりも、対立する党派に対する憤りや不安の高まりが人びとを動かしているというのです。実際、対立する党派を国民の幸福にとっての脅威だと考える民主党支持者と共和党支持者の割合が以前よりも大きく上昇しているとの調査結果も存在しています。[49]

そして、このような感情的分極化は「否定的党派性」を生み出すと指摘されています。[50]否定的党派性とは、政党の候補者や政策について、それらを評価しているからというよりも、嫌いな政党がそれらを批判しているから支持するといった態度を指します。逆に、ある政策について、それが良くないからではなく、嫌いな政党が賛成しているから反対するという態度も含まれます。要するに、政策志向が対立する党派への「逆張り」、あるいは「嫌がらせ」に近づいていくという状況が生まれるわけです。

もちろん、そこには嫌がらせをしたいという願望だけではなく、自分に近い立場の政治家の言動に思うところがあったとしても、反対側にいる「怪物」の言うことに従わせられるよりはマシだという判断もあると考えられます。[51]いずれにせよ、このような否定的党派性の高まりは、いかなる政策を実施するべきかについて実質的な立場の違いにもつながっていきますから、イデオロギー的分極化が進行する可能性をも高めていくことになります。

以上の流れを整理しているのが図3-1です。政治やメディアのような制度の次元で分極化が生じ、敵意が煽《あお》られた結果、より多くの人びとのあいだで偽りの分極化が生じる。それ

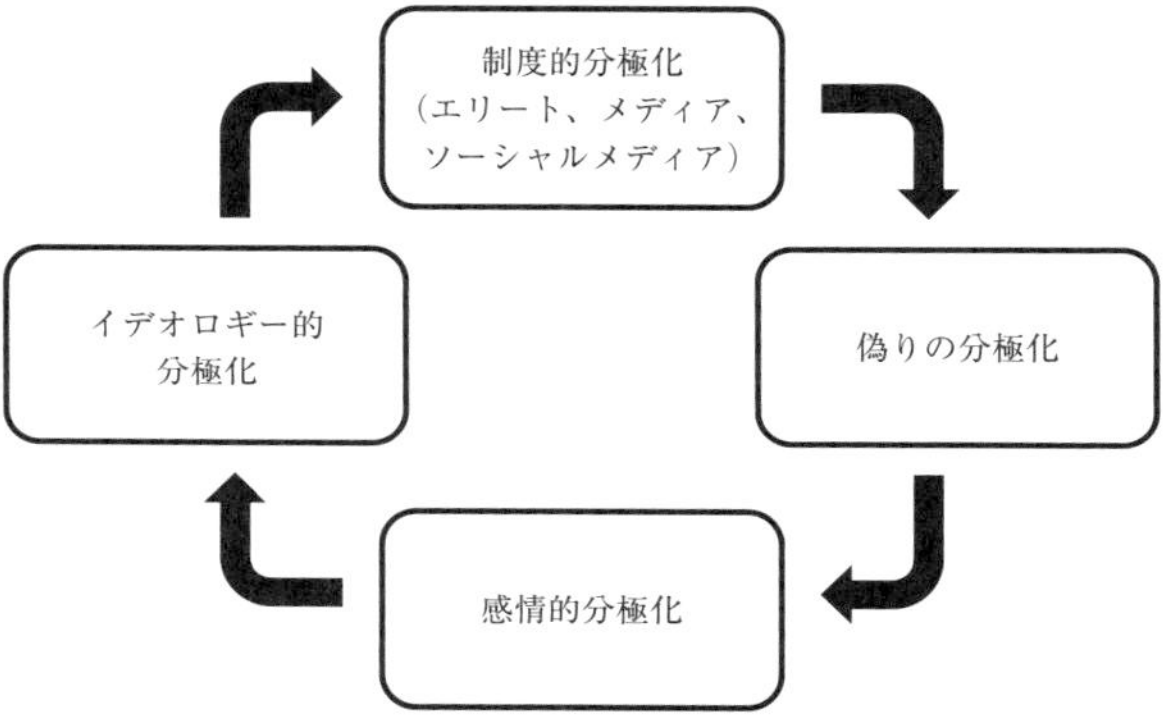

図3－1　分極化の過程を示す理論モデル。Wilson, A. E., et al. (2020) 'Polarization in the contemporary political and media landscape,' in *Current Opinion in Behavioral Sciences*, vol.34, p.224 より

が感情的分極化へとつながり、否定的党派性の高まりを経ることで実質的な政策志向の違いとしてのイデオロギー的分極化を生み出す。さらに、人びとのあいだでイデオロギー的分極化が進めば、特定の層に向けたアピールをするよう政治家やメディアはさらに駆り立てられるようになる、というのです。

もっとも、これはあくまで米国での政治的分極化を説明するためのモデルであり、日本社会において広くこのような現象が発生しているわけではありません。[52] 日本社会の問題は、政治的分極化ではなく、むしろ政治的無関心の広がりだと言えるからです。にもかかわらず、ソーシャルメディアの一部では激しい対立が繰り返され、被害者意識の広がりもみられます。それはいったいなぜなのでしょうか。

前章ではこの問いについて、文字だけのコミュニケーションに起因する問題や、インターネットやソーシャルメディアの特性という観点から検討しました。多くの場合、こういった現象については「エコーチェンバー」や「フィルターバブル」といった概念で説明されてきました。しかし、私はそうした説明にはかなり問題があると考えています。そこで次に、それらの概念を紹介するとともに、そのどこに問題があるのかをみていくことにしましょう。

3　怒りのソーシャルメディア

インターネット上での対立はどのように説明されてきたか

まず、エコーチェンバーとはもともと、音が反響しやすいように設計された部屋のことを指していました。ラジオやテレビの番組制作において、広い空間で会話が行われているように聞こえるサウンドエフェクトを生み出すといった目的で用いられていました。

社会科学の分野では、一九六〇年代に政治学者のV・O・キーが選挙によって示された有権者の声を「エコー」と表現したことが知られています。[53] 選挙では限られた選択肢しか存在しないため、ある候補者が勝ったからといって、その政策が有権者から支持されたとは限らない。仮にろくでもない人物が勝利したとしても、どの選択肢もろくでもないものであれば、それは有権者が愚かだということにはならない。そこで示されるのは有権者がもつ本当のニーズの残響程度でしかなく、選挙とはそれを強引に拡大し、勝者と敗者を決めるためのエコーチェンバーとして機能している。

対して、インターネットに関連して語られるエコーチェンバーは、かなりニュアンスが違っています。[54]それによると、ネットでは自分と似た意見をもつ人をみつけるのが簡単なため、同じような意見をもつ人びとで固まりがちになる。結果として、自分が意見を発したとしても、それと似た意見ばかりが返ってくる。すなわち、他人の意見を聞いているようにみえて、実質的には自分の声の反響を聞いているにすぎない。

しかも、意見が似通った人ばかりが集まると、そのなかでも極端な意見をもつ人物の発言力が大きくなる傾向にある。より穏健な意見をもつ人は沈黙するようになり、結果として集団全体が極端な方向へと動いていく。それぞれの集団内でそうした現象が起きると、集団間の距離は大きくなっていくため、意思疎通や妥協点の模索はどんどん難しくなる。それが集団的分極化であり、インターネット上の現象としてはサイバーカスケードとも呼ばれる。

他方、フィルターバブルは、インターネット上でのデータの処理手順（アルゴリズム）の影響を強調する概念です。[55] それによると、現在のネットではパソコンやスマホのスクリーンに表示される内容は、ユーザーの関心や属性に合わせてフィルタリングされるのが一般的になっている。たとえば、ユーチューブでトランプの集会の動画をいくつかみていると、白人至上主義者の動画が次々と「おすすめ」されるといったことが起きる。[56] フィルターバブルとは、このように好みの情報だけで作られた泡（バブル）のなかに入ることで、ユーザーが自分とは異なる意見や価値観と触れる機会を失ってしまう状態を指す。

これらエコーチェンバー、サイバーカスケード、フィルターバブルという概念は、社会の分断をインターネットが加速させているという議論においてしばしば用いられてきました。たとえば、二〇二〇年の米国大統領選挙においてジョー・バイデンを候補者とする民主党側が不正を行い、「本当の」勝者たるトランプを打ち負かしたとの陰謀論が広がり、連邦議会議事堂の襲撃事件にまで発展しました。この出来事も、これらの概念によってたびたび説明されています。

しかし、ソーシャルメディアの利用と分極化との関係性についての研究をみると、エコーチェンバーやフィルターバブルといった概念で現在の分断状況を説明するのはかなり難しいと言わざるをえません。近年、この分野ではきわめて多くの論文が発表されており、そこで示される知見は互いに矛盾していることも珍しくないのですが、以下では暫定的な見取り図を描いてみたいと思います。

まず指摘しておきたいのは、マスメディアではなくインターネットでおもにニュースに接している人びとは、より多様なニュースや意見に接しているという調査結果が存在しているということです。[57] その理由として挙げられるのが、ネットにおける情報へのアクセスコストの低さです。つまり、自分とは意見の異なる新聞を読むためにはわざわざ外に買いに行く必要がありますが、ネットなら数回のクリックやタップで済むということです。

加えて、ソーシャルメディアのユーザーは、政治的立場だけを基準につながる相手を決めているわけではないとも指摘されています。[58] フェイスブックで友人の書き込みを読み、自分とは意見が違うなあと思ったとしても、それでいきなり関係を断絶するという人はそれほど多くないでしょう（あまりに意見が違えば、ミュートぐらいはするかもしれませんが）。

さらに、ソーシャルメディアのアルゴリズムはそれほど厳密にユーザーの政治的志向性を判断しているわけではありません。[59] たとえば、ツイッターの「おすすめ」をみていると、確かに私が関心をもちそうなトピックのツイートが並んではいるものの、読んでいるとムカつくものが結構あります。

もう一つ紹介しておきたいのは、計算社会科学者のクリス・ベイルらによる「エコーチェンバーを壊してみる」という実験です。すなわち、ツイッターを使用している被験者に対し、彼／彼女の立場とは異なる立場のツイートがタイムラインに流れるようにし、一定期間後にそれがどのような効果をもたらすのかをベイルらは検証したのです。すると、支持政党ごとにやや違いはあるとはいえ、もともとの党派性がかえって強まるという結果がもたらされました。[60] たとえば、その被験者の一人であるパティーという女性は、実験前、一応は民主党の支持者でありながらも、移民問題などでは共和党に近い立場にありました。ところが、実験後には民主党的な立場を明確に打ち出すようになったというのです。

パティーは、リツイートされてきた（共和党的な：引用者）中道右派のツイッターアカウントからの穏健なメッセージには注目しなかった。むしろ、リツイートされてきたもっと過激な保守派数名による民主党派への粗野な、あるいは偏見に訴える攻撃に心を奪われた。それまで、こうした最悪の部類の攻撃は自身のエコーチェンバーによって隠されていたのだが、この実験に参加して党派間の全面戦争を初めて経験したのだった。（…）自分の側が攻撃されているのを目にしたうえ、個人攻撃もされたことで、パティーは意を決し、（民主党的な：引用者）リベラル派の論点で自身を弁護するようになった。[61]

このように、ソーシャルメディアのユーザーはより多様な情報に接しており、なおかつ攻撃的な異論にさらされることでかえって党派性が強まるのだとすれば、これまでとは正反対の説明が必要になるように思われます。つまり、エコーチェンバーが発生するからではなく、それが壊れるからこそ対立が激化するという可能性です。以下では、緩やかなエコーチェンバーの崩壊がいかにして人びとを対立へと駆り立てうるのかをみていくことにしましょう。

緩やかなエコーチェンバーの崩壊

ここで、エコーチェンバーやフィルターバブルといった概念の問題点をさらにもう一つ挙げるとすれば、インターネットが登場する以前、人びとはバランスよく情報に触れて自分の意見を決めていたということが暗黙の前提になっている点が挙げられます。しかし、そのような状況は、立会演説会のような場であればまだしも、マスメディアの時代にはむしろ稀《まれ》になっていたと考えられます。

新聞やラジオの影響力に関する大規模な調査は、二〇世紀半ばの米国で本格的に始まりました。そこで浮かび上がったのは、メディアの選択にあたって自らの「好み」を優先させる人びとの姿です。[62]嫌いな政治家の話をわざわざ長時間にわたって聴いたりする人は少なく、むしろ自分がもともともっていた好みに合わせて新聞やラジオの番組を選択する傾向にある。人びとの好みは家族、友人、職場といった身近な社会集団のなかで形成される。そうした集団はおおむね似た意見をもつ人びとから構成されており、日常的な接触のなかでお互いの同質性を高めていく。[63]それは言わば、緩やかなエコーチェンバーとも呼びうる状況であったわけです。

しかし、そうした緩やかなエコーチェンバーはやがて壊れていくことになります。その要因の一つは、先に述べた政党カラーの鮮明化です。内部での純化が進んだことで、それぞれの政党は自らの価値観、イデオロギー、アイデンティティをより明快に表明し、対立する政党に対してより攻撃的な態度に出ることが可能になりました。しかも、そこで生じるのは、税金や政府支出といった伝統的な争点ではなく、人種やジェンダー、あるいは宗教といった人びとの感情をかきたてやすく、妥協点を探るのが難しい争点をめぐる対立です。[64]そのことが、対立する党派の主張をより耳ざわりな言葉で要約し、攻撃する言動へとつながります。言わば、非常に嫌なかたちで「相手側の意見」を聞く機会が増してきたのです。

そして、先に述べたマスメディアの意見産業化／激怒産業化も、緩やかなエコーチェンバーの崩壊に寄与したのは言うまでもありません。一方からは自分たちの仲間によって（往々にして歪曲、単純化された）相手側の主張が紹介され、他方からは自分たちの仲間を攻撃する相手側の主張が流れ込んでくるわけです。エコーチェンバーが壊れることで、それまでであれば知らずに済んだ意見に触れる機会が増し、分極化をさらに進めることになるのです。

もっとも、リアルな人間関係についても、これと似た現象がずっと以前から指摘されていました。互いに偏見をもちやすい集団が表面的に触れ合っただけでは、偏見がかえって強まり、対立がより激しくなってしまう可能性が高い。[65] 集団の垣根《かきね》を越えて人間関係を築くには、ただ接触するだけでは不十分で、何らかの共通の目的のために一緒に作業することが必要だというのです。

この点を踏まえるなら、メディアの多様化によって自分たちとは異なる意見との、しかもきわめて不快なかたちでの接触が増加することで、かえって対立が深刻化していくのはむしろ自然なことのようにも思えます。[66]

ソーシャルメディアと分極化との関連を扱う議論の多くは、ニュース接触や集団形成の過程を重視する傾向にありました。しかし、とりわけソーシャルメディア外の政治動向も踏まえたうえで分極化を論じるのであれば、対立集団との接触がもたらす影響を視野に入れた議論が必要になります。集団間の摩擦は集団形成において大きな役割を果たしうるからです。

残念なことに、ソーシャルメディアは対立集団との不幸な出会いをさまざまな局面でさらに増加させ、ユーザーの怒りを喚起する可能性をもつのです。

「聞いて」はいるが「耳を傾けない」

本章の冒頭では、炎上に実際に参加するユーザーの数は少ないと述べました。さらに言うと、そもそもソーシャルメディアで政治的、社会的なトピックについて書き込むユーザーは、日本は言うまでもなく、米国においてすら少数派です。[67]

そうしたユーザーは政治的、社会的関心が高いのが一般的で、多くの場合にかなりの党派性を有しています。先に触れた否定的党派性にしても、それがみられるのはごく一部の偏った層だけであることを示す調査もあります。[68] 言い換えるなら、ソーシャルメディア上で積極的に政治的、社会的発言をするユーザーは、平均的なユーザー像からはかなりズレているのです（もちろん、平均からズレているのは決して悪いことではありません）。もともと党派性の強い人びとによって構成されているわけですから、そうした場で対立が発生しやすいのはやむを得ないとも言えるでしょう。

そして、対立を生じさせるもう一つの要因が、先ほどから論じているソーシャルメディア上でのエコーチェンバーの機能不全です。先のベイルらの実験でも示されたように、自らの価値観に反し、感情を逆なでする情報が次々に入ってくる言論空間に身を置いた場合、そこで生じやすいのは、自分のもともとの立場により執着するようになるという現象です[69]。これはブーメラン効果、またはバックファイア効果とも呼ばれ、自分の立ち位置を否定する情報への新たな反論を思いつくなど、より強硬な態度が助長されうるのです。

たとえば、先に紹介したフルークに対するリンボーの攻撃は、ソーシャルメディア上でも大きな反響を呼びました。フルークの意見に共感する人が、タイムラインに流れてきたリンボーの暴言を目にして「なるほど、彼の言うことにも一理ある」と考えるケースはかなり稀でしょう。むしろ、リンボーへの怒りから、フルークを応援したい気持ちになる可能性のほうがはるかに高いと考えられます。

もっとも、自分の考えと異なる情報に接したとき、人びとがつねにそうした態度に出るとは限りません。それどころか、対面状況における実験では、より穏健な方向へと参加者の意見が変化する傾向にあることを示す研究もあります[70]。しかし、そうした実験では概して、参加者は自分と対立する意見に耳を傾け、それをきちんと理解しようとします。

ところが、多くの場合にソーシャルメディア上での情報接触はそのようには行われません。対立意見が歪《ゆが》められたかたちで紹介されることも多いですし、ごく一部の極端な意見があたかも集団全体の意見を代表するものとして提示されることも多々あります。しかも、意見をすでに固めている人は、穏健な対立意見に触れたとしても、それをきわめてネガティブな角度から読み解きがちです。前章でも触れましたが、ツイッターをやっていると「いくらなんでも、そんなふうに解釈しなくてもいいじゃないか」と思うことが多々あります。

エコーチェンバーやフィルターバブルが分極化を生み出しているとの主張を批判するメディア研究者のアクセル・ブルンズは、以上の点について「彼/彼女らは政敵の見解をなお「聞いて（hear）」はいるものの、「耳を傾け（listen to）」ようとしなくなる」と述べています。[71]そうしたユーザーはむしろ、対立する意見を聞くと、自分たちの意見をよりいっそう声高に、繰り返し語り出すというのです。

対立する集団への怒りが、ソーシャルメディア上での情報拡散を促進することを示す調査も行われています。[72]道徳的に許せない行為に対する憤りや不快感がソーシャルメディア上での活動を活発にすること自体は以前から指摘されていたのですが、とりわけそうした行為が対立する集団によって行われたとされる場合、その効果はよりいっそう高まるというのです。そこには「連中はこんなにも酷いことをする集団だ。そのことを広く知らせねばならない」という義務的な意識の高まりがあると考えられます。

対立する党派への怒りを求心力とする攻撃的なエコーチェンバーの問題が存在するとすれば、おそらくこのあたりの段階からということになるでしょう。不快な情報に触れ、感情が高まったときに自らの正しさを再確認するための情報をインターネットで探すのは容易だからです。そこで気に入った論者がいれば新たにフォローすることもあるでしょう。そうやって気に食わない連中を「論破」するための理論武装がなされ、場合によっては以前よりも極端な意見を支持するようになる可能性も出てきます。このような観点からすると、攻撃的なエコーチェンバーとは、分極化の原因というより結果なのです。

「火事と喧嘩はネットの華」か？

さらに、対立する集団への怒りがソーシャルメディアのユーザーをより活性化させるのであれば、先に述べた激怒産業がここでも生じてくることになります。この場合、その主体には一般のユーザーも含まれます。人びとの怒りを誘う情報を収集し、それをバズらせることが自己顕示欲や経済的利益に合致するからです。フェイクニュースにしても、その多くが特定集団への憤りを誘うものであるのは偶然ではありません。

ただし、ここで注意が必要なのは、ソーシャルメディア上での怒りの表明を全てその本人の自己利益へと還元してしまうことの危うさです。真摯な告発を「売名行為」と呼んで貶《おとし》め、その重要性を否定するシニカルな論法もまたソーシャルメディア上ではきわめてありふれています。難しいのは、真摯な告発なのか、それとも売名行為なのかという判定それ自体が党派性を帯びやすく、好きな論者による告発は真摯で、嫌いな論者のそれは売名行為といった切り分けが生じやすい点です。

加えて指摘するなら、怒りから利益を得るのは特定のユーザーやメディアだけではありません。ソーシャルメディアのプラットフォームも、少なくとも部分的には怒りによって支えられることになります。

連邦議会襲撃事件を機にツイッターやフェイスブックから一時的に追放されたトランプは、二〇二二年二月にトゥルース・ソーシャルというソーシャルメディアを立ち上げます。保守系の人びとが集う空間で、それ自体がトランプのエコーチェンバーだとすら言われています。ところが、トランプを支持する人びとのあいだですら、その利用は広がっていません。[73] その理由の一つは、まさにエコーチェンバーであるがゆえにユーザー同士のあいだで怒りを喚起するのが難しいという点に求められるでしょう。端的に言って、面白くないのです。

ある人物や集団への怒りは、その怒りを共有する人も、その怒りに対して怒る人もそれぞれに活性化させるために、ソーシャルメディア全体の集客にとっては有利に働きます。昔から言われるように「火事と喧嘩《けんか》はネットの華」であり、だからこそ荒れたソーシャルメディアは、とりわけ一部のユーザーにとって刺激的で面白い場だとも言えるのです。

もっとも、そこには限度があるとも言えます。言い争いだけでなく、脅迫や嫌がらせ、訴訟が頻発する言論空間は、広告主だけでなくオピニオンリーダー的なユーザーまでも少しずつ遠ざけ、そのネットワーク効果（利用者が増えるほどにネットワークの有益性が高まること）を低下させることで、衰退していく可能性を有しています。そこに魅力的な代替ネットワークが出現すれば、その衰退は一気に加速することでしょう。古参ユーザーとしては、ツイッターがそうならなければいいなとは思っているのですが、もはや手遅れという気がしないでもありません。

被害者政治の帰結

本章では、ソーシャルメディア上でしばしば観察される被害者意識の問題を出発点として、被害者政治や政治的分極化の問題について論じてきました。ここでは、被害者政治の広がりが生み出す難しい問題について述べることで、本章の結びとすることにしましょう。

先に述べた通り、被害者政治の難しいところは、立場の異なる人びととのあいだでの対話をきわめて困難にしてしまうという点にあります。相手側が自分たちとは異なる利害関係や考えをもっているというだけであれば、話し合いによって妥協点を探ることはまだ可能です。ところが、対立する党派がそれぞれに自らを被害者、相手を加害者とみなす場合、妥協点をみつけることは著しく困難になります。そこで求められるのは、妥協ではなく謝罪や補償、もしくは処罰になるからです。

さらに、被害をめぐる論争において難しいのは、たとえわずかなりとも加害者の言い分を認めることが「二次加害」とみなされやすいということです。[74] 性被害に関する論争に介入した人物が、性被害の問題を隠蔽しようとする構造の一部とみなされてしまうことなどがそれに該当します。そうなれば、まともに議論をすることはきわめて難しくなります。

しかも、話をさらにややこしくするのが、その二次加害に関する指摘が、かなりの程度まで妥当だということなのです。本章で取り上げた被害者非難にみられるように、声を上げた被害者を沈黙させようとする動きは頻繁に生じます。たとえば、二〇二三年三月に英国BBCの報道を契機にジャニーズ事務所の創業者であるジャニー喜多川が生前に行っていた性加害が大きな問題となったときには、ソーシャルメディア上では被害を訴え出た人びとを非難する書き込みがかなりの支持を集めていました。

とはいえ、被害の訴えがつねに妥当だということはなく、それぞれの集団が自らの被害をつねに持ち出してくる状況が話し合いを困難にするのは確かです。第五章でも改めて述べるように、そこで必要になるのは、原理原則に沿って抽象的な議論をぶつけ合うことではなく、個別具体的な事例について落ち着いて話し合うことです。

まあ、互いに対立する集団がソーシャルメディア上でそれをやるのは無理だろうな、というのが正直なところではあるのですが……。

第四章　「不寛容な寛容社会」とマスメディア批判

1　変化する日本社会

座席交換をめぐる論争

二〇二三年五月、いつものようにツイッター上でちょっとした論争が起きました。それは、映画館で他人に座席交換をお願いするのはアリかナシかというものです。

もともとのきっかけは、並びで座りたいカップルから座席交換をお願いされたものの、それを拒否したというツイートがバズったことにありました。[1]

この件が背景となり、数日後にはある人気漫画家のツイートも論争を招くことになりました。[2] それによると、この漫画家は家族六人で映画鑑賞に出かけたものの、うち一人は他から離れた座席しか予約できなかった。そこで、離れてしまった一人と他の家族のあいだに座っている人にダメ元で座席交換をお願いしてみたところ、その相手はなんと有名アーティスト。快く代わってくれたのだそうです。

この漫画家のツイートは有名アーティストの人柄の良さを強調する内容であったことから、約一・六万の「いいね」がつきました。第一章で言及した炎上度では〇・六といったところです。しかし、映画館で見ず知らずの他人に席を交換してもらえないかと声をかけることに対する反発は強く、リプライや引用リツイートには漫画家を批判するものが多く含まれていました。要するに、迷惑、または非常識だというのです。もちろん、そうした批判への反論も数多く行われています。

本書ではこれまで、ソーシャルメディア上ではなぜ激しい対立が起きやすいのかについて検討してきました。しかし、ここで取り上げた「迷惑」をめぐる論争については、これまでとは少し違った角度から考える必要があります。ソーシャルメディアがもつメディアとしての特性や緩やかなエコーチェンバーの崩壊とは別に、日本社会の変化とも深く結びついているからです。

さらに言えば、そうした社会の変化は、ソーシャルメディア上で頻発するマスメディア批判とも関係していると私は考えています。近年のマスメディア批判は、一般の人びとに対する記者の「迷惑」行為がクローズアップされる傾向にあるからです。本章では以下、これらの問題について検討していくことにしましょう。

品行方正になった日本社会

ツイッターでは以前から迷惑行為が炎上発生の大きな要因となってきました。第二章で取り上げた回転寿司店でのいたずらなども含まれますが、警察に被害届が出されるほどの行為だけでなく、マナー違反程度の行為であっても批判の声が上がるのは珍しくありません。たとえば、ベビーカーを畳まずに満員電車に乗ったり、新幹線で餃子《ぎょうざ》を食べたりしている乗客への苦情ツイートは無数に行われています。

これらの事例をみていると、日本社会で暮らす人びとのマナーは以前よりも悪くなっていると思われるかもしれません。しかし、長いスパンでみるなら、以前と比べて人びとの社会規範の水準は大きく上昇しています。ライターの大倉幸宏による著作をひも解くと、戦前の日本には列車の座席をめぐって殴り合いになる乗客、混んでいるのに座席に自分の手荷物を置いたままの乗客、さらには食べ物のゴミを平気で床に捨てる乗客など、今日の価値観からすれば「いかがなものか」と言いたくなる人びとが数多く存在していたことがわかります。

容器や包みだけでなく、ミカンやリンゴ、柿の皮、ビールや日本酒、牛乳、サイダーの瓶なども床に捨てられていました。駅弁と一緒に使い捨ての土瓶に入れられたお茶も売られていましたが、その空き瓶も同様に床の上に転がっていました。ゴミを床の上に置くだけならまだ許せるとして、窓から外へ弁当箱やビール瓶を投げ捨てるという悪質な行為さえありました。そのゴミが線路の保安員にあたって重傷を負うという事件も起きています。[3]

もちろん、こういったマナーの悪さは列車のなかに限られていたわけではなく、街頭や公園でのゴミのポイ捨てや唾吐きなども日常茶飯事でした。

そうした状況は戦後になっても続きました。[4]列車への投石によって乗客や乗員が重傷を負う事件が頻発し、公園では石やパチンコ玉で電灯を破壊する事件もしばしば起きていました。花見の会場ではゴミを散乱させるばかりか、桜の枝を折ってしまう花見客も多くいたといいます。

犬の糞《ふん》の放置も問題でした。[5]道路の舗装が進んでいなかったために「自然に還している」という感覚をもつ人が多かったことや、今日とは衛生観念が異なっていたことから、犬の糞はそのままにされることが多かったのです。

私が小学生だった一九八〇年代前半においてすら、今よりもマナー水準はかなり低かったと言わざるをえません。当時はよく街中に犬の糞が落ちており、ときどき踏んづけてしまっていたのを思い出します。しかし、今は野良犬の数が減少したことに加えて、愛犬家のマナーも大幅に向上し、そういった光景を目にすることは珍しくなりました。

人びとのこのようなふるまいの変化は、より明確な犯罪行為との関連でも論じることができます。警察の取り締まり方針や通報のされやすさの変化などから犯罪の認知件数は大きく影響を受けるため、犯罪統計の解釈には注意が必要です。[6] しかし、それらの影響を受けにくい重大犯罪の被害状況から判断する限り、過去との比較において日本の治安は大幅に改善されてきたと言うことができます。とりわけ若年層による犯罪の減少は、子どもの数自体が減っているということを考慮に入れても、目覚ましいものがあります。

もちろん、これはあくまで統計的にみられる傾向で、個別には凶悪な犯罪が発生する可能性はありますし、泣き寝入りされやすい性犯罪は依然として深刻な水準にあるとも考えられます。それでも、全体としてみれば、日本社会は以前よりもずっと品行方正になってきたのです。

にもかかわらず、ソーシャルメディア上では他人の行動を批判する声が絶えません。その理由として考えられるのは、人びとの心が狭くなった、言い換えれば不寛容になったという可能性です。映画館での座席交換の交渉をめぐる先の論争でも、交渉を擁護する側からは批判側の不寛容さや余裕のなさを指摘するツイートがいくつもみられました。けれども、またしても過去との比較で言うなら、人びとはある意味でずいぶん寛容になったと言えるのです。

寛容さの広がりと個人化

その寛容さがもっとも顕著にみられるのが、性や結婚、出産など、考えようによっては人生にとってきわめて重い意味をもつ領域です。

ＮＨＫ放送文化研究所が五年ごとに行っている意識調査によると、結婚前のセックスは許されないと考える人は一九七三年には過半数の五八％に達していました。[7] それ以外の内訳をみると、婚約していれば可が一五％、愛情があれば可が一九％、無条件で可が三％でした。しかし二〇一八年には、許されないと考える人は一七％にまで減ったのに対し、婚約で可が二三％、愛情があれば可が四七％まで増え、無条件で可も七％となっています。

この質問項目ほどには過去に遡れないものの、結婚については一九九三年に「人は結婚するのが当たり前だ」とした回答者は四五％でしたが、二〇一八年には二七％にまで減少しました。また、「結婚したら子どもをもつのが当たり前だ」とした人は一九九三年には五四％

だったのに対し、二〇一八年には三三%に減っています。

性や結婚、あるいは子どもをもつことは、かつては強力な社会規範が働いていた領域でした。もちろん、今でもそういった規範がなくなったわけではなく、地域や家庭によっては強く残っているところもあるでしょう。また、結婚するか否か、子どもをもつべきか否かという選択については寛容さが広がっているにしても、結婚しないまま子どもをつくるといった選択への寛容度は低く、見方によっては家族に関する規範が強く残っていると考えることも可能です。[8]

それでも、相対的にみれば、従来の規範は力を失い、自分の人生を自分で選択できる人が増加しました。あるいは、選択しなくてはならなくなった、と言うこともできます。

社会学の領域では、こうした現象は「個人化」と呼ばれます。家族や地域、職場などの束縛が弱まるなかで「標準的な生き方」のモデルに従うことが難しくなり、結果として一人ひとりが自分の人生のありようを決め、その責任も負わざるをえなくなるということです。[9] 生き方の「正解」がみえないのであれば、他人がどう生きるべきかについても口出しすべきではないとなるのは当然の流れでしょう。

社会学者の石田光規は、他人の生き方に踏み込もうとしないそうした態度を「人それぞれ」というフレーズで要約しています。[10] 他人と意見が違った場合、自分の意見を曲げてでも争いを避ける人が増えているという意識調査の結果を踏まえて、異論を「人それぞれ」で受け流すことが人間関係を円滑にするための手段として活用されているというのです。

自分と他人とが違う場合、その違いに触れないようにするのは、まさしく寛容と呼んでよい態度でしょう。結婚前にセックスしようとしまいと、結婚しようとしまいと、子どもをもとうともつまいと、それは「人それぞれ」で、他人が口をはさむような問題ではないのですから。

ただし、ここで注意する必要があるのは、「人それぞれ」は他人に対する無関心とイコールではないということです。「正解」があらかじめ決まっていない分だけ、他人がどのような選択をしているかについての関心が高まることもありうるからです。

ともあれ、社会全体としては規範の水準が大幅に上昇し、しかもこのように寛容さが増大していることを踏まえると、少なくとも他人が法律の枠内で行動している限り、その行動への不満が減少していってもおかしくはないはずです。なのに、ツイッター上では、迷惑行為を批判するツイートが頻繁にバズっているのです。

その理由の一つとして、とりわけツイッターには人びとの不満が表れやすいということが挙げられます。「人それぞれ」で受け流したとしても、他人のふるまいにイラっとすることはある。それを吐き出すための場として機能しているということです。

そのようなソーシャルメディアとしての特性以外に考えられるのが、社会全体でのマナー水準の向上が生じさせるある種のパラドクス（逆説）です。次に、この点についてみていくことにしましょう。

2　マナー向上のパラドクス

新たな迷惑行為の発見

今から一五年ほど前、我が家では分譲マンションを購入することになりました。これは人生のなかでも非常に大きな買い物です。そこで私はマンションに関する本を読み、インターネットの掲示板で情報収集に励みました。当時はマンションの選び方で本を書けるんじゃないかと思ったほどです。

そのマンション掲示板で大きな話題になっていたのが、子どもの足音でした。それなりの防音性能があっても、子どもの足音は階下に響きやすく、トラブルの原因にもなります。小さな子どもがいた我が家にとってはひと事ではありません。

そのため、新居に引っ越した我が家では、ちょうど子どもが歩き始めたこともあり、ドスドスと歩くたびに教育的指導を徹底することになりました。そのさいの決まり文句が「そんなふうに歩いたら、ご近所に迷惑でしょ！」です。

もちろん、子育てで気を遣うのは足音だけではありません。電車のなかで傍若無人にふるまう子どもや、飲食店で子どもが騒いでいるのに注意しない親など、子育て中の身にとっては気になる話がインターネットではたびたび流れてきます。それらを読むたびに、「人様に迷惑をかけないようにせねば」という思いを新たにするわけです。

言うまでもなく、そういった努力をしていたのは我が家だけではありません。たとえば、教育社会学者の広田照幸には『日本人のしつけは衰退したか』という著作があります。タイトルからなんとなく推測できるように、広田はこの著作のなかで日本の家庭内でのしつけが衰退するどころか、以前よりもはるかに徹底されるようになった状況を論じています[11]。かつての農村社会において子どもは放任されるのが一般的で、家庭内でしつけがなされるのはごく一部の階層にすぎなかった。それに対し、現代の「教育する家族」はきわめて熱心に社会規範を教えるようになったというのです。一九九九年にこの著作が出版されてから二〇年以上が経過しましたが、基本的に状況は変化していないでしょう。

マナーの良い社会は、そのような家庭内でのしつけと一人ひとりの心がけによって支えられています。しかし、それはある種のパラドクスを生じさせることにもなります。マナーやモラルの水準が向上していけばいくほどに、むしろそこから逸脱した迷惑行為が目立つようになり、批判されやすくなるのです。

ここで参照したいのが、社会学者エミール・デュルケムが論じた、犯罪の必然性に関する古典的な議論です。[12] それによると、犯罪行為を抑制するためには、以前には犯罪と呼ばれるほどではなかった過ちに対して人びとが憤るようになることが必要になる。窃盗を減らすには、かつてであれば問題視されなかった、ちょっとした「ごまかし」までもが憎むべき行為として断罪されねばならない。そのため、社会の治安が改善されていったとしても、より軽微な過ちが犯罪として定義し直され、憎まれるようになる。したがって、仮に聖人だけを集めて社会を作ったとしても、やはり犯罪は起きる。ただしそこでは「俗人たちには許容されるにちがいないさまざまな過ち」が糾弾されることになるだろう。[13] 結局のところ、どうやっても犯罪をなくすことはできない、というのです。

日本社会で暮らす人びとが聖人になったというのはさすがに言い過ぎでしょうが、それでも社会規範の水準が上がれば、以前には問題視されなかった行為が迷惑行為として批判されるようになる可能性は高まります（余談ですが、駅のエスカレーターは片側を空けるのではなく二人並んで乗るというルールがなかなか定着しないのは、「歩行側」に立っていると迷惑とみなされかねないという社会規範との衝突が起きているからだと考えられます）。

さらに、社会規範の水準が向上することで、人びとには強度の自己規律が求められるようになります。たとえ誰からもみられていなかったとしても、ゴミのポイ捨てはしない、信号は守る、拾ったものは交番に届けるといったことです。しかし、普段から他人に迷惑をかけないよう気を遣いながら生活していると、どうしても他人の迷惑行為が気になりやすくなってしまうのです。

社会学者の奥村隆は、「きちんとしたふるまいをする（＝リスペクタブルである）こと」を求める社会規範の広がりについて、次のように述べています。

彼らは、すでにそこにいる「リスペクタブルでない他者」を非難するだけではなく、それまでそう名づけもしなかった人々のなかにことさら「リスペクタブルでない」ものを発見し、「リスペクタブルでない他者」をわざわざ作り出そうとするのだ。（…）そのような「他者」がいるかぎり「私」は彼らよりもずっと「リスペクタブル」である。[14]

これを本章の文脈に置き換えて言うと、迷惑な人をわざわざ探したり、あるいは迷惑行為の類型を新たに作り出して糾弾することが、「他人に迷惑をかけていない私」という自己イメージを守るうえでは効果的だということです。個人化の進行によって他者の行動における「不正解」への関心が高まっているという側面もあるかもしれません。

実際、社会規範の維持にとって、そこから逸脱した人の存在はきわめて重要です。個人的な体験談で言うなら、児童虐待のせいで子どもが栄養失調で亡くなったというニュースをみると、子育て中の身としては大変に切なくなります。そこから、せめて自分の子どもにはきちんと食事をさせねばならないという使命感が生じたりもするのですが、それは同時に「自分は児童虐待をするような親ではない」という自己イメージの再確認でもあるのです。

乱反射する迷惑

しかし、同じ社会規範からの逸脱といっても、犯罪行為と迷惑行為とのあいだには大きな違いもあります。刑法で定められている犯罪行為の場合、その定義は比較的はっきりしています。たとえば、刑法第八一条の外患誘致罪とは「外国と通謀して日本国に対し武力を行使させ」る行為を指し、その刑罰は死刑しかありません。ちなみに、ツイッターで「外患誘致罪」で検索をかけてみると、気に食わない人に死んでもらいたがっているユーザーをたくさん観察することができます。

それに対して、迷惑行為の場合、何がそれに該当するのか判断が人によって大きく異なります。以前、ある社会心理学者のグループでそれぞれに迷惑だと考える行為を五〇個ほど持ち寄り、重複しているものを削除して一二〇個の迷惑行為リストを作成、それを被験者に提示して個々の行為の「迷惑度」を判定してもらうという調査を行ったことがあります[15]。しかし、被験者の判断は大きく分かれ、彼/彼女らの大半が「迷惑」だと考える行為は抽出できなかったというのです。

他人に迷惑をかけるべきではないという点ではおおよその社会的合意はあっても、その内容は不明確だということは、対立する個々人がそれぞれに相手側の行為を迷惑だと批判し合うということにもつながります。たとえば、満員の乗り物のなかで泣き出した赤ちゃんの親に「迷惑だ」と大声で詰め寄る人がいた場合、後者のほうがより迷惑だと思う人がいても不思議ではありません。「迷惑だと訴える迷惑な人」がそこにはいるのであり、これはもはや迷惑の乱反射と言ってよい事態です。

とはいえ、個人化の進む社会だからこそ、迷惑だとみなされやすくなる行為もあります。それはまさに「人それぞれ」を侵害する行為です。言い換えれば、主体的とみなされる他人の決定に干渉する行為が批判されやすくなるのです。

こうした観点からみた場合に興味深いのが、コロナ禍での「自粛警察」の問題です。コロナ禍で行動制限が求められるなか、営業を続ける飲食店、県外ナンバーの自動車、マスクを着用していない人に嫌がらせや糾弾を行う人びとが自粛警察と呼ばれたのは記憶に新しいところです。

世論一般でみた場合、コロナの感染拡大を防止するために国や自治体が経済活動の自粛や移動の制限を求めることについては、大多数の人びとがそれを支持していました。二〇二〇年一一月から一二月にかけて実施されたＮＨＫの世論調査では、そのいずれについても八割を超える回答者が肯定しています。[16]マスクについても、着用していない人がいたら気になると回答した人は九割近くに達しました。自粛や移動制限、マスク着用の必要性については、かなりの社会的合意があったと言ってよいでしょう。

にもかかわらず、その合意を徹底させようとする「自粛警察」については、概して否定的な文脈で語られていました。[17]たとえば、法務省の自粛警察に関するウェブサイトでも、「誤った正義感」に基づくものとして批判されています。[18]

ここから理解されるのは、社会的合意に従うとしても、少なくとも建前としては、個々人の主体的な決定に基づいてそうすべきだとする価値観が存在するということです。それゆえに、感染拡大を招きかねない行動が迷惑とみなされ、批判の対象となる一方で、他人の主体性を侵害するかたちで合意への服従を押しつけるのも迷惑行為となりえたのです。

このように、個人化が進んだ日本社会では、個々人の選択については寛容さが広がる一方、主体的な選択を侵害するとみなされる行為については、厳しく批判されるようになりました。それを以前とは別種の不寛容さの表れとみなすのであれば、現在の日本は言わば「不寛容な寛容社会」と呼びうる状況にあると言えるでしょう。

以上の観点から先に取り上げた座席交換の交渉について振り返ると、二つの点で迷惑行為と解釈される余地があったことが理解されます。

一つは、まさしく座席の主体的な選択を侵害する行為だとみなされたということです。一般に、現在の映画館では事前に座席を予約するシステムが用いられています（昔は必ずしもそうではありませんでした）。そのため、観客は事前に選択したからこそ、その場所に座っているのです。なのに、「座席を交換してほしい」というのは、その主体的な選択に干渉する行為です。漫画家のツイートによると、有名アーティストは交換に応じたことで劇場の中央側にずれることになり、もっと良い席になったとも言えるのですが、まずもって他人の選択に干渉するという行為自体が嫌悪感を生じさせるのです。

座席交換の交渉が反発を呼ぶもう一つの理由は、交渉の内容以前に、見ず知らずの人間から話しかけられることに対する抵抗感の存在です。他人に干渉すべきではないという個人化に由来する規範が、知らない人には可能な限り話しかけるべきではないという規範として表れているのです。社会学者の森真一は、他人との会話がとにかく避けられる現代の日本を指して「無言社会」と呼んでいます。[19] とりわけ東京圏におけるその水準は、私が以前に暮らしたことのある大阪や英国のロンドンと比較しても突出しているように思われます。実際、座席の交渉を否定するツイートのなかには、断るのにもストレスが発生するので最初から話しかけないでほしいという趣旨のものが多く含まれていました。

さらに、このような個人化の進行は、ソーシャルメディア上でさかんに行われているマスメディア批判とも関係していると私は考えています。そこで次に、なぜマスメディアは嫌われやすいのかをみていくことにしましょう。

3　マスメディア批判の焦点

マスメディアは信頼されているか

一九九〇年代半ばからインターネットが普及し、一般の人びとが自分たちの意見を発信しやすくなるなかで、延々と繰り返されてきたのがマスメディアに対する批判です。もっとも、マスメディアの歴史はそれに対する批判の歴史であると言ってもよいほど、古くからマスメディア批判は展開されてきました。その意味では、以前から行われてきた批判がネットの普及によって目につきやすくなってきただけだとみることも可能です。

個人的な記憶をたどってみても、私が大学生だった三〇年前には、大きめの書店に行けばマスメディアを批判する書籍がたくさん売られていました。それらの多くはマスメディアと権力者の癒着、発表ジャーナリズム（政府や警察が発表した内容を検証なしに報道すること）、世論操作、事実の歪曲《わいきょく》、偏向報道、センセーショナルな報道内容、人権侵害、閉鎖的な記者クラブによる情報の囲い込みなどを批判するものでした。要するに、今のネット上でみられるマスメディア批判のレパートリーはほぼ出そろっていたわけです。

それではなぜ、マスメディアは批判されるのでしょうか。シンプルに考えれば、上で挙げ

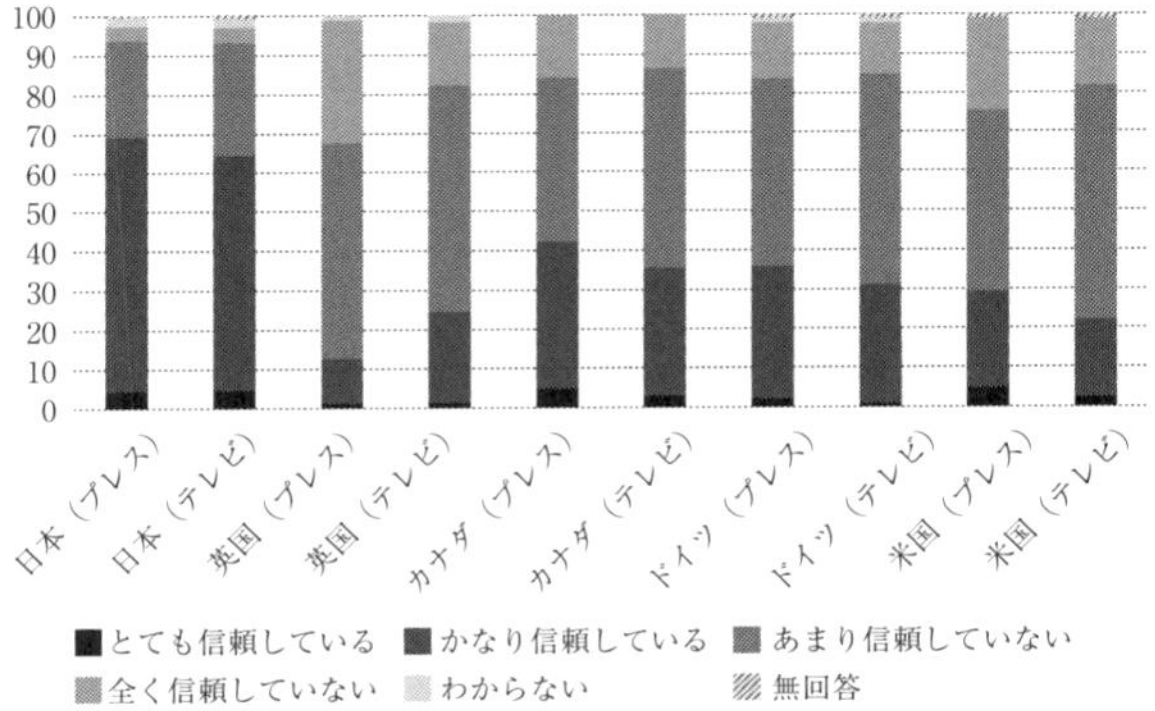

図４−１　マスメディアに対する信頼度。World Values Survey（wave 7）より著者作成

た問題を日本のマスメディアが抱えているからだということになるでしょう。現在ではマスメディアに対する蔑称である「マスゴミ」という言葉も広く知られるようになっており、それだけ多くの人びとがマスメディアに対して批判的な意識をもっていることの表れと考えられます。

ただし、マスメディアが批判されるのは日本だけではありません。それどころか、海外に目を向ければより強いマスメディア不信がみられ、それとの比較では日本のマスメディアに対する信頼度はかなり高いとも言えるほどです。図４−１は二〇一七年から二〇二二年にかけて実施された第七回世界価値観調査をもとに作成したグラフですが、日本ではプレス（新聞／雑誌）を「とても信頼している」と「かなり信頼している」とした人の合計が六九%、テレビについては六五%で、英国、カナダ、ドイツ、米国に比べてかなり高くなっています。

とはいえ、マスメディア報道はそれなりに信頼されているとしても、そこで働いている人びとに対するイメージが良いとは限りません。二〇〇〇年から二、三年おきに中央調査社が実施している職業別の信頼度調査によれば、自衛官や警察官、医療関係者に対する信頼は右肩上がりで上昇しているのに対し、マスメディア関係者に対する信頼度は官僚や政治家と並んでずっと低いままです。[20]

さらに、これと関連して、社会心理学者の李光鎬《イー・ゴアンホ》が二〇二〇年と二〇二一年に実施した調査も紹介しておきましょう。[21] それによると、「日本の記者は報道の影響力を利用し、いい待遇を受けたり、私益を得ている」、「政界や財界の有力な人たちと癒着している」、「国民の知る権利より収益を上げることに関心がある」といった報道の腐敗に関する項目に加えて、「記者には自惚《うぬぼ》れ屋が多い」、「偉そうにしている」、「自分たちだけがいつも正しいと思い込んでいる」、「批判すればいい仕事をしたと勘違いしている」などの記者の人格に関する項目について、回答者の三、四割がそれらを支持しています。この数字を低いとみるか、高いとみるかは判断の分かれるところですが、それでも記者に対してネガティブなイメージをもつ人びとが一定数、存在していることは明らかです。

批判される原因はなにか

普段から記者の方々と接することが比較的多いせいか、私自身はそういったネガティブな印象を全くもっていません。その一方で、制度または組織としてのマスメディアはさまざまな問題を抱えているとは考えています。とはいえ、ここではそれらをいったん措《お》き、マスメディアが批判される理由を別の角度から検討することにしましょう。

まず紹介したいのが、「敵対的メディア認知」という現象です[22]。先に触れたように、マスメディアがしばしば批判される理由の一つが偏向報道です。つまり、集団間で何らかの対立が生じている場合に、その一方の集団に有利な報道を行っているというのです。

しかし、敵対的メディア認知に関する研究によれば、論争を呼ぶ出来事について、双方の意見を紹介するテレビニュースをそれぞれの立場の支持者が視聴すると、彼/彼女らはその報道が相手側に偏向していると解釈する傾向があるというのです。つまり、同じニュースをみているにもかかわらず、双方の集団がそれを自分たちにとって敵対的な報道だとみなすことがありうるのです。

そうした現象が生じる理由としては、三つのメカニズムが提起されています。[23] ①自分と同じ意見よりも異なる意見のほうに注目しやすく、思い出しやすい。②党派的な人は中立的な情報に接したとしても、それを相手側にとって有利な情報だと解釈する傾向がある。③対立している人びとは、何が「よい情報」なのかについて異なる基準をもっている。③について説明すると、自分たちの立場に合致する意見についてはそれが妥当かつ正確な情報に依拠しているとみなすのに対し、対立する意見については妥当でも正確でもない情報に基づいているると考える。そのため、双方の意見が紹介されると、正しい情報だけでなく間違った情報も伝える報道だと解釈され、偏向報道とみなされるというのです。近年の研究では、②を支持するものが多くみられます。

しかし、新聞社やテレビ局が偏向しているように思われるのであれば、それらとは接触せず、無視しておけばよいのではないでしょうか。ところが、世の中には嫌いなメディアが発する情報にわざわざ接触しに行く人もいます。その理由の一つとして考えられるのが「第三者効果」の存在です。[24] 多くの人は、有害だと思われる情報が自分よりも他人（第三者）に大きな影響を与えると考える傾向にあります。つまり、偏向している情報から自分は影響を受けないけれども、他人はそれに騙《だま》されてしまうかもしれない。だから批判することでその情報の影響を打ち消さねばならない、という使命感が生まれることにもなるのです。

敵対的メディア認知を生じさせやすいのが強い政治的党派性をもつ人びとだということを踏まえるなら、前章で取り上げた政治的分極化が進む米国のような社会でマスメディアへの批判が高まりやすいのは当然だと言えます。対立陣営の勢力を削り、自陣営のそれを増すための党派的行動とマスメディア批判とが直結するからです。

さらには、政治的分極化が進んでいない日本のような社会であっても、敵対的メディア認知が生じていることを示す調査結果が存在しています[25]。ソーシャルメディア上では党派性の強い人びとの声が過剰に表出されることを踏まえるなら、そこでは敵対的メディア認知に基づくマスメディア批判が噴出しやすくなると考えられます。マスメディア報道に対する一般的な信頼度の高さと、ソーシャルメディア上でのマスメディア批判の大きさとのあいだにギャップが生じる理由の一つは、この点に求められるでしょう。

ただし、現在の主たるマスメディア批判が、党派性だけに基づくものだと考えるのは早計です。そこで次に考えてみたいのが、「悪い知らせ」を伝える者は、自身になんの落ち度がなかったとしても疎まれやすいという現象についてです[26]。古代ペルシャにおいて戦場での勝敗を宮殿に伝える勅使の運命は、それが伝達する情報の内容によって大きく左右されたと言います。勝利を伝えた場合には酒池肉林の歓待を受けたのに対し、敗戦の知らせだった場合にはその場で即座に殺されてしまったというのです。現代でも、たとえば悪天候を予想した気象予報士が脅迫を受けることがあると言います。要は「悪い知らせ」によって生じたストレスを、それを伝えた者にぶつけてしまうということが起きるのです。

実際、大惨事が起きると、マスメディア批判は生じやすくなります。たとえば、多くの人びとに深い衝撃を与えた二〇一九年七月の京都アニメーション放火殺人事件は、記憶に新しいところでしょう。事件当日、ＮＨＫが同社を取材する予定であったことから、「事件の容疑者とＮＨＫのディレクターはつながっていた」、「取材のためにセキュリティが解除されており、被害が大きくなった」などのデマがソーシャルメディアでは流通しました[27]。批判するにしても何らかの理由が必要になるわけですから、多くの人びとが強いストレスを感じる出来事が起きると、デマ含みのマスメディア批判が生じる可能性は高くなります。

迷惑行為としての取材

とはいえ、災害発生時におけるマスメディア批判を以上の理由だけで片づけることはできません。マスメディア報道によって被害状況の把握が進んだり、支援物資が集まりやすくなるといったポジティブな側面はあるにせよ、救援活動に支障が生じたり、被災者が足を引っ張られるという事態は確かに発生しうるからです。たとえば、一九九五年一月に阪神淡路大震災が発生したさいには、取材ヘリが発する騒音によって救助活動が妨害されたという出来事があったと報告されています。[28]

しかも、記者が被災地に入ることで、地元の方々に迷惑をかけるという事態もありえます。最悪の事例として知られているのが、一九九一年六月に発生した雲仙普賢岳の噴火です。危険な場所で取材を続ける記者たちに避難を呼びかける消防団員や警察官、さらには記者に同行していたタクシー運転手までも火砕流に巻き込まれて亡くなるという事態を引き起こしてしまいました。

現在では、災害時の取材ヘリについては日本新聞協会がその利用法についてガイドラインを策定し、[29]報道各社も騒音の小さな機体を採用したり、優れた望遠機能をもつカメラで遠距離から撮影するなど、救援活動を直接的に妨害する可能性は以前に比べれば低くなっていると考えられます。それでも、災害発生時に取材ヘリが救助の妨げになったとの事例は近年でも報告されていますし、[30]大規模災害の発生時には被災地における記者の存在そのものを批判する声すらソーシャルメディア上では噴出します。

過熱取材によって記者が相手に迷惑をかけてしまうとの指摘は、かつてのマスメディア批判においても行われていました。しかし、元記者やフリーライターを中心として展開されていた批判は、マスメディアと権力者との癒着や記者クラブの閉鎖性などに焦点を当て、言わば「必要な情報を出さない」ことを問題視する傾向にありました。現在でもそうした批判が噴出することはあり、本書の執筆時点（二〇二三年一二月）では、旧ジャニーズ事務所の設立者であるジャニー喜多川による性加害について、マスメディアが長年にわたって沈黙してきたことへの批判が大きなうねりとなっています。

それに対して、ソーシャルメディア上では、マスメディアが「不要な情報を出そうとする」ことへの批判が目立ちます。流通する情報量が急激に増大するなか、情報の欠如よりもその氾濫にうんざりする心理がそこでは働いているのかもしれません。

さらに重要なのは、批判を行う主体が元記者やフリーライターなどの「書く側」から「書かれる側」へと移ることで、マスメディアは一般人に迷惑をかけてまで不要な報道をするべきではないとの批判が表出しやすくなったという点です。地元の人たちが手入れをしている植え込みにマスメディアがカメラの脚立を置いたことによってツイッターで憤りの声が上がったケースなども[31]、このタイプの批判に分類できるでしょう。

先ほども触れた京都アニメーション放火殺人事件では、まさに取材を迷惑行為として批判する多くの声が聞かれることになりました。被害者の実名報道や遺族取材に対してユーチューブやツイッター上で強い反対論が噴出したのです。京都アニメーション側が実名報道や遺族取材を控えるように要望を出したことも大きな要因となって、被害者のプライバシーは尊重されるべきであり、傷ついている遺族にマイクを向けることがあってはならないとの主張が数多く展開されました。

これらの批判の背景には、事件報道一般において被害者の苦しみがクローズアップされるようになってきたということがあります。

かつての報道では、加害者がどのような人物なのかの解明に力が注がれ、被害者の声は軽視される傾向にありました。それが典型的に表れたのが一九九五年三月の地下鉄サリン事件を契機として大々的に展開されたオウム真理教報道です。そこでは教団幹部の強烈なパーソナリティが注目を集める一方、被害者の苦しみは添え物程度でしか報道されませんでした。[32]作家の村上春樹はそうした問題意識から、被害者やその家族にインタビューを行い、『アンダーグラウンド』というノンフィクション作品を刊行しています。

しかし、被害者の権利が無視されているという声が一九九〇年代末ごろから高まるようになり、二〇〇〇年には全国犯罪被害者の会も結成されました。さらには二〇〇二年九月に北朝鮮が日本人の拉致を公式に認めたことも重要な契機となり、報道も被害者の側により焦点を当てるようになっていきます。

ところが、被害者報道の拡大は、被害者の自宅などに取材陣が殺到する事態をより頻繁に生じさせるようになります。いわゆるメディアスクラムです。犯罪への関与が疑われる人物宅に記者が殺到する問題はそれ以前から指摘されてきましたが、被害者や遺族も対象となりやすくなったことで、その深刻さがより強く認識されるようになったと言えるでしょう。そこでは記者が関係者宅の近辺にタバコの吸い殻やゴミをまき散らすことも問題視されるようになっていきます。

他人からの干渉を迷惑とみなす個人化の進行と、一般の人びとが不満を公にするのを容易にしたインターネットの普及は、そのようなメディアスクラムに対する反発を顕在化させることになりました。災害や事件で憔悴《しょうすい》している被害者や遺族を取り囲んで無神経な質問を繰り返し、そのプライバシーを侵害する記者の姿に、多くの人が憤りを表明するようになったのです。現在では、災害や事件が発生したさいには、取材が開始される以前からソーシャルメディア上でマスメディア取材への批判が始まっているという事態すらみられるようになりました。

ここで少し脇道に逸れると、全ての被害者や遺族が取材を嫌がっているというのは、やや一面的な見方です。とりわけ事件発生から時間が経つと、遺族のなかには事件や被害者の存在が忘却されていくことに悲しみを覚える人も出てきます。[33] また、社会的に注目されなかった事件の被害者の場合、取材されないことを寂しく思う人もいます。京都アニメーションの事件の被害者遺族のなかにも、自分の息子が存在したということを忘れないでほしいという文章を記者会見で読み上げた方がいました。[34] 確かにプライバシー保護は重要な課題ですが、マスメディア批判が先に立つあまり、そういった遺族の声をないことにしてしまうのも問題ではないでしょうか。

さらに指摘しておきたいのは、被害者のプライバシー保護は、企業や自治体、あるいは警察の不祥事を隠蔽するための名目に用いられる可能性があるということです。外国の事例ではありますが、二〇一〇年に中国・上海の高層マンション火災で五八名もの死者が出たさい、消防体制の不備に批判が集まることを恐れた当局は、メディアへの情報提供を拒否しました。[35] その理由として挙げられたのは、「遺族や被災者には名前を公表したがらない人もいる」ということでした。

しかし、今日の日本でこういった指摘がされづらいのは、先に紹介した中央調査社の職業別信頼度にもみられるように、自衛官や警察官よりもマスメディア関係者が信頼されていないことに原因があるのかもしれません。要は、自衛隊や警察の不祥事が隠蔽される可能性よりも、マスメディアが人びとに迷惑を与える可能性のほうが意識されやすいということです。

変化する記者

このようにソーシャルメディア上ではさまざまなマスメディア批判が日々、繰り返されています。さらに近年では、記者会見における記者のふるまいや質問内容が批判を集めることも増え、長々と持論を展開したり、横柄な態度を示す記者はしばしばバッシングを受けるようにもなりました。とりわけ若い記者たちは、そういった批判をかなり意識しているようです。

実際、記者もまた社会のなかで教育を受け、成長していく以上、現在の風潮と無縁ではありえません。それもあってか、近年の彼／彼女らのふるまいは以前と比べれば大きく変化していると言われます。その変化を象徴していると思われるのが、記者という仕事に関する以下の二つの記述です。

まず一つは、共同通信の元記者でフリージャーナリストの魚住昭によるものです。次の文章からは一九七〇年代に共同通信に入社した魚住の職業観をうかがうことができます。

無断録音がすべていけないなんて誰が決めたのか。取材倫理？　馬鹿を言ってはいけない。我々が守るべき原則は二つしかない。読者にとって必要不可欠な情報を提供すること、つまり真実を明らかにすることとニュースソースの秘匿である。この二つに照らして記者の行為は正当かどうか判断される。真実を伝えるためなら時には社内規則どころか法律だって破る。ニュースソース秘匿のためなら刑務所入りも辞さない。その気概がなければ記者とは言えない。つまりジャーナリズムは本質的にアウトローな商売なのだ。[36]

もう一つは二〇一九年にフジテレビに入社した政治記者が自らの仕事について語った文章の一部です。ツイッターで少し話題になったので、覚えている人もいるかもしれません。

大変なことは、取材先との距離の取り方でしょうか…。記者である以上、視聴者に届けるための情報を取ってこなければいけない、引き出さなければいけない。でもいきなり教えてくれるわけもなく、一方的な取材は失礼だし…試行錯誤の毎日です。こちらの都合で取材対象者の方にお話を伺うこともありますが、向こうも忙しいよな、向こうの都合もあるのに申し訳ない…と思ってしまいます。なので、私が取材先の立場だったら「嫌」と感じることはしないようにしています。相手が心地いいと思える距離で、相手の心に寄り添い、信頼されるような記者とは、と客観的に考えながら行動しています。[37]

前者の文章は大手メディアの記者には「アウトローさ」が足りないと叱責するものなので、かつての報道のあり方をそのまま描いたものだとみることはできません。また、後者の文章はファッション関連のサイトに掲載されたものなので、ハードな内容を期待するほうが間違っているとも言えます。それでも、この二つの文章を並べたとき、同じ職業に関する記述とは思えないほどです。

そうした変化の背景にあると考えられるのが、これまでみてきた日本社会における個人化の進行です。学校や職場、親族、家族といったお仕着せの人間関係が拘束力を失うなかで、人間関係の存続は端的に「好きか嫌いか」で決定されるようになってきました。[38]つまり、気が合わない相手とも付き合いをしなくてはならない状況が以前よりも減ってくるなかでは、お互いが相手の心中に配慮し、嫌われそうな言動を可能な限り避けることが人間関係の存続にとって不可欠になってくるのです。

社会学者の土井隆義は、そのようにして築かれる人間関係を「優しい関係」と呼び、それがとりわけ若い人のあいだで支配的なコミュニケーションのスタイルになっている状況を論じています[39]。先に引用したフジテレビ政治記者の発言からうかがえるのは、そうしたコミュニケーションがマスメディアのなかにも入り込んでいるという状況です。私は仕事柄、マスメディア業界に入っていく若者をよく目にしますが、彼/彼女らが声を荒らげて取材対象に突撃する様子というのは、ちょっと想像できないところがあります。

ここで勘違いしないでほしいのは、「だから今の若い記者は駄目なのだ」と言いたいわけではないということです。昭和の記者と令和の記者、どちらが優れているかという話ではなく、単に変わったということを指摘したいのです。前者のやり方は確かに取材対象の組織防衛を突破するうえでは優れているかもしれませんが、一歩間違えれば恫喝《どうかつ》やハラスメントの温床になります。後者の方法は、たとえば災害や事件で苦しんでいる被害者を取材するさいには優れていると言えるでしょう(政治記者としてはどうなのか、という気はしますが……)。

いずれにせよ、近年のメディア取材のあり方をみる限り、日本社会におけるマナー水準の向上と歩調を合わせるかたちで大きく変化してきたように思われます。京都アニメーション放火殺人事件の取材でも、被害者遺族を多くの記者が取り囲んで報道するのではなく、記者のなかから代表者を選んで取材したり、被害者遺族の自宅のインターフォンを押すのではなく郵便受けに手紙を入れるかたちで取材を申し込むなど、かつてのメディアスクラムと比較すれば、接触の方法にかなり気を遣っていることが理解されます。

このように書くと「昔と比べればマシになったのだから、批判するなというのか」と思う方もいるかもしれません。実際、私が本章のもとになった文章を二〇一九年に『現代ビジネス』というウェブサイトに掲載したときには、そういった反応をいくつも目にしました。[40] しかし、ここでの指摘は、良し悪しは別として、以前とは記者の取材方法は変わってきたものの、それでもソーシャルメディアでの批判はやまないという点にとどまります。ジャーナリズムの根幹である「誰かに会って話を聞く」という行為そのものが、他者からの干渉が嫌われる個人化の進んだ社会では摩擦を生じさせやすくなっているのかもしれません。

4 「不寛容な寛容社会」の持続可能性

快適さの代償

以上のように本章では、現代日本における不寛容な寛容社会の出現について述べたうえで、そこではマスメディアによる迷惑がきわめて批判されやすい状況になっていることを論じてきました。

ここで個人的な意見を述べるなら、現代の日本社会は以前と比べて非常に快適になったと考えています。電車内で騒いでいる人や強い匂いを発する人がいれば私も迷惑だと思いますし、街が清潔になったのは素晴らしいことだと感じています。治安が良いことに文句を言う人は、いたとしてもごくわずかでしょう。

マスメディア取材にしても、以前、とある週刊誌の記者が私の研究室に予告なしでやってきたことがあり（ひどく狼狽《ろうばい》してしまいました）、望んでいないタイミングでの取材申し込みを迷惑だと感じる感性は十分に理解できるところです。したがって、現代社会が迷惑行為に対する不寛容さに立脚しているとしても、それを完全に否定することはできません。

精神科医の熊代亨《とおる》は、現代の日本を「健康的で清潔で、道徳的な秩序ある社会」と呼び、それが多くの人びとに非常な快適さをもたらしていることを認めたうえで、一部の層に熾烈《しれつ》な生きづらさをもたらしているのではないかと指摘しています[41]。コミュニケーションに問題を抱える人びとが「発達障害」という概念によって理解され、治療や支援の対象となる一方、障害者とは認定されない境界知能（IQ七〇～八四の層で全人口の一割以上が含まれる）をもつ人びとの生きづらさが不可視化されてしまっている。彼／彼女らは「障害者」や「マイノリティ」としてはカテゴライズされないために社会的サポートを受けることもできず、高度な知識や技能、とりわけコミュニケーション能力を要求する現代社会に適応するのが困難になっているというのです。

熊代はさらに、そのような社会に適応できる子どもを育てるためのコストやリスクは大きくなる一方だとして、次のように論じています。

子どもとは、唐突に他人に迷惑や不快感を与えかねないリスクを含んだ存在だから、親はできるだけ子どものことで他人に迷惑や不快感を与えないよう、注意深くふるまわなければならない。子ども自身も、他人に迷惑や不快感を与えないよう早くから期待され、そのように行動できなければならない。と同時に子どもはかつてないほど大切にされねばならなくなり、虐待やネグレクトは忌むべきものとなった。体罰が否定されるのはもちろん、日に日に高まっていく社会全体の敏感さに抵触しない子育てを成功させなければ、社会から親として不適格とみなされるおそれがある。[42]

子育てのハードルがこのように上がった結果、とりわけ迷惑や不快感の回避が強く要求される東京圏で少子化が先鋭的に進んでいるのは偶然ではないと熊代は述べています。

一般的には少子化の要因として未婚率の上昇が挙げられることが多く[43]、この主張がどこまで妥当かは意見の分かれるところでしょう。しかし、かようにハイスペックかつ高コストな子育てが求められる状況のなか、そのハードルの高さに尻込みし、日本では子育ての前提とされる結婚への意欲を失ってしまう人がいてもおかしくはないようにも思います。

さらに言えば、他者への干渉が迷惑とみなされやすく、見知らぬ他者との接触が避けられる社会では、恋愛関係も含め人間関係を新たに構築するのがどうしても難しくなります。「迷惑」とみなされる言動の種類が増えていくことで、それを回避するために必要なスキルを欠く人びとが人間関係から排除されてしまうのです。経済的に苦しい人ほど孤立しやすいという調査結果を踏まえるなら[44]、他者との接触の乏しい生活を送っているということは必ずしも人びとの主体的な選択の結果ではありません。

この問題が特に困難なのは、それに対処するために孤立している人びとに接触しようとすることと自体が、煩わしい人間関係に消耗している彼/彼女らから「余計なお世話」として、言い換えるなら迷惑行為とみなされてしまいやすいという点に求められます。[45]

以上の観点からすると、ソーシャルメディア上で日々、乱反射している迷惑行為への批判は、日本社会の持続可能性が失われつつあることの原因ではないにせよ、その兆しにみえてくる気もします。しかし、繰り返しにはなりますが、そこで表出している不寛容さが現代社会の快適さと表裏一体であるなら、安易にそれを否定することもできないという悩ましさがそこにはあるのです。

第五章　二つの沈黙、二つの分断

1　ソーシャルメディアは民主主義にとって危険なのか

危機に瀕する民主主義？

ここ数年、民主主義の危機を訴える著作が相次いで出版されています。その大きな要因となったのが、二〇一六年の米国大統領選挙におけるドナルド・トランプの勝利です。政治経験を全くもたない実業家であり、他の政治家への中傷や虚言、マイノリティへの憎悪煽動《せんどう》をためらわない人物が、民主的な手続きを経て大統領に選出されたことが多くの人びとに強い衝撃を与えたのです。

大統領に就任したあとのトランプの言動も民主主義の諸制度を損なうもので、その帰結が二〇二一年一月における連邦議会議事堂の襲撃事件でした。選挙に敗北した側がその事実を認めず、暴力的な手段に訴えるというのは、民主主義の定着度が低いとされる国家においてしばしば観察される現象です。実際、その翌月にミャンマーでは、前年に実施された選挙は

「不正だった」と軍部が主張、クーデターを起こして無効にしてしまうという事件が起きています（この選挙については国際監視団がおおむね公正に行われたと評価していました）。トランプは選挙結果を無効にできなかったとはいえ、暴力によってその結果をねじ曲げようとする動きが、よりにもよって世界の民主主義勢力の中心たる米国で発生したのです。

民主主義が危機的状況にあるとされるのは米国だけではありません。ハンガリーやトルコ、フィリピン、さらにはインドなどでも危機が生じており、民主主義と呼べる国が世界的に減少してきたと指摘されています。[1] 二〇一一年から二〇一二年にかけて発生し、北アフリカや中東地域に民主化をもたらすと期待された革命運動「アラブの春」も、民主主義国家を残すことはほとんどできませんでした。唯一の成功とされるチュニジアでも、民主主義体制の維持が困難に陥っていると伝えられています。

こうした民主主義の危機を訴える近年の著作において、かなりの紙幅を割いて論じられているのがソーシャルメディアをめぐる問題です。「アラブの春」ではソーシャルメディアが民主化の新たなツールになるのではないかとの期待が数多く表明されました。[2] 政治指導者が権力を独占する権威主義国家では、テレビや新聞といったマスメディアは往々にして政府の厳しい統制下にあり、そこでは政治に対する不満が伝えられることもありません。しかし、ソーシャルメディアは同じ考えをもつ人びとがお互いに知り合い、政府への抵抗運動を組織化するのを容易にしたというのです。

ところが今では、ソーシャルメディアが民主主義の危機を促進していると語られるようになっています。一例を挙げると、ジャーナリストのアン・アプルボームは、権威主義的な国家が増えていることに警鐘を鳴らす著作のなかで、次のように述べています。

レディット（米国で人気のネット掲示板：引用者）、ツイッター、それにフェイスブックは皮肉とパロディー、冷笑的なネット情報にとって完璧なメディアになった。（…）アイスランド、イタリア、セルビアのようなまったく異なった国々で、あまりにも多くの「皮肉屋の」、「パロディー的な」、「悪ふざけ」の候補者がいきなり選挙で勝つのは、驚きではないのだ。彼らの一部は無害だ。一部はそうではない。政治的定見をもっているふりさえしない候補者に投票することによって、若者世代はいまや選挙を、民主政治に対する蔑視を示す好機と見なしているのである。[3]

ソーシャルメディア上にみられる強烈な政治不信、そしてそれに伴う政治へのシニカルなまなざしにより、代議制民主主義にとってきわめて重要な選挙をないがしろにする態度が広がっているというのです。政策の実現をまともに目指しているとは思えない候補者が国政選挙でひょっこり当選してしまう現象が日本でも生じていることを踏まえると、アプルボームの指摘にはひと事には思えないところがあります。

それでは、ソーシャルメディアは具体的にどのような脅威を民主主義にもたらしているのでしょうか。本章ではまず、①権威主義国家からの干渉、②フェイクニュースや陰謀論の蔓《まん》延《えん》、③分断（分極化）の促進という観点からこの問題について論じます。そのうえで本章のタイトルである「二つの沈黙」と「二つの分断」について、それがソーシャルメディアとどのように関わっているのかをみていくことにしましょう。

民主主義国家の強みと弱み

民主主義国家が成立するうえで重要な要件の一つが「自由」です。第一章でも述べたように、お互いの人格の尊重や相互信頼とのバランスをとりつつ、社会の成員に言論や表現、結社の自由を広く保障することは民主主義国家であるためには欠かせない条件です。

一面において、そうした自由は民主主義にとっての強みです。民主主義国家であっても、大規模テロなどを理由として人びとが興奮状態に陥り、冷静さを欠いた決定が行われることはありえます。しかし、決定の誤りを伝える情報の流通が許されている限り、たとえ時間はかかったとしてもその決定が修正される可能性は残ります。誤った決定を行った政治家が選挙に敗れ、新たな政権が誕生することもあるでしょう。

これは政治指導者の交代が困難であるだけでなく、政権にとって不都合な情報が簡単に隠蔽されてしまう権威主義国家にはないメリットです。閉鎖的な情報環境においては、たとえ決定が誤っていても、それを修正するための情報の流れが抑圧されてしまい、破滅的な帰結をもたらしかねないのです。[4] この点からすれば、イエスとしか言わない側近で周囲を固めた独裁者は大きなリスクを冒していることになるでしょう。

その反面、民主主義国家のオープンさは、とりわけ外部からの干渉に弱いというデメリットを伴っています。外部の勢力が世論を誘導するべく、ひそかに情報流通の過程に干渉することが起きやすくなるのです。しかも、民主主義国家では世論の動向が選挙や政策決定に影響を及ぼしやすいことから、世論を誘導するメリットもそれだけ大きくなります。

情報の流通過程に対する外国からの干渉は、今に始まった話ではありません。第二次世界大戦時の米国を例にとるなら、勃発当初は中立だったため、同国の世論動向は交戦国にとっきわめて大きな関心事でした。[5]英国やフランスは米国が連合国への支援を強化してくれることを、ドイツは米国が中立を貫いてくれることをそれぞれ期待していたのです。そのため、両陣営は自分たちにとって好ましい米国人を陰に陽に支援し、彼／彼女らの口を借りて好都合な主張を流通させ、世論を動かそうと試みました。

ソーシャルメディアの時代になり、こうした世論への干渉はより容易に、より巧妙になってきたと言えるでしょう。なかでも注目を集めてきたのが、二〇一六年の米国大統領選挙に対するロシアからの干渉です。

政治学者のラリー・ダイアモンドは、その目的がロシアにとって与しやすいトランプを大統領にすることにあり、干渉がなければ対立候補であったヒラリー・クリントンが選挙戦に勝利していただろうとすら述べています。[6]ただし、ダイアモンドによれば、ロシアの目的はトランプを勝利させることだけではありませんでした。米国社会における対立をより激化させ、民主主義そのものに対する信頼を損なわせることも目指していたというのです。[7]

たとえば、ロシアの工作員は複数のオンラインコミュニティや、フェイスブックやインスタグラムの大量のアカウントによってそれぞれに対立する意見を発信することで、ユーザー同士の衝突を促していました。また、フェイスブックに広告を表示させる権利を購入し、人びとのあいだに不和を生むメッセージを表示させるようにもしていたといいます。

さらに、ロシアによるこうした情報戦略には、二つの段階があったと言われています。[8]第一段階は、何かを「信じたがっている」グループに対する煽動です。たとえば、大統領候補としてトランプを支持している人は、彼にとって有利な情報（たとえば対立候補やその親族のスキャンダルなど）を簡単に信じる傾向にあります。したがって、そういったグループにニセ情報を信じさせるのはさほど難しいことではなかったというのです。

もちろん、ロシアからのこうした干渉はやがて米国政府やメディアにも知られることになります。しかし、それが発覚したことは必ずしもロシアにとって大きなダメージにはなりませんでした。というのも、ロシアがトランプを支援するグループだけでなく、彼と激しく対立する黒人差別撤廃運動（ブラック・ライヴズ・マター）にも加担していたことが発覚したために、インターネット上のあらゆるものを胡散《うさん》臭くみせる効果を発揮したというのです。[9]このように「全ての情報の真偽を怪しくしてしまう」のがロシアの情報戦略の第二段階ということになるでしょう。

黒人差別撤廃運動のように現在の政治社会体制に異議を唱える運動にとって大きなダメージになりうるのが、このような「外国政府からの支援を受けている」という情報です。その運動の真の目的が、自国の体制を動揺、または崩壊させることで外国に利益をもたらすことにあるのではないかとの疑念を生み出すからです。

悩ましいのは、先に述べたように外国政府が国内の政治勢力に援助を行っている可能性は確かにありうる一方、体制に批判的な運動から正統性を奪い取るために「外国からの支援を受けている」というレッテルを貼る動きも古くからみられるということです。それによって「外国の手先である以上、連中の訴えを聞く必要はない」という主張が展開できるからです。たとえば、二〇一九年から二〇二一年まで続いた香港の民主化運動に対し、その指導者層を逮捕する理由として中国政府が挙げたのが、まさに「外国勢力と結託」しているというものでした。[10]

民主主義国家でも、外国政府との結託を理由にして反体制的な運動が批判されるのは珍しいことではありません。たとえば日本では、沖縄への米軍基地集中の是正を求める運動について「日本を分断したい中国政府が背後にいる」といった議論がしばしば展開されています。[11]そのような図式をつくることで、沖縄の運動は日本の「国益」に反するという論理をより強固にできるからです。

もちろん、ソーシャルメディアを介しているか否かにかかわらず、外国からどのような干渉が行われているかを監視するのは重要な課題です。しかし、体制に批判的な主張が、外国の利益と合致している(ようにみえる)だけで正統性が奪われ、抑圧されるのであれば、もはや民主主義国家とは呼べなくなってしまいます。自分たちの要求を行っているだけなのに、さしたる根拠もなく「外国勢力と結託」しているなどと言われ続ければ、政治体制に対する不信感は高まる一方でしょう。

したがって、民主主義国家にとっては、ソーシャルメディアの発達によってもたらされた外部からの脅威に備えつつ、体制に批判的な運動とそれを安易に重ねないことがこれまで以上に求められているのです。

陰謀論とフェイクニュース

ソーシャルメディアが民主主義にもたらす脅威としては、陰謀論やフェイクニュースの拡散を促進してしまうということも論じられています。

陰謀論の簡潔な定義としては「過去、現在、未来の出来事や状況の説明において、そのおもな原因として陰謀を挙げるものを指す」というものが存在しています。[12] もちろん、世の中を動かそうとする陰謀的な企ては実際に存在しますが、何でもかんでも陰謀との関係で説明しようとする議論は、どうしても陰謀論的な性格が強くなってしまいます。

そのような陰謀論とフェイクニュースとが組み合わさった事件としてよく知られているのが、米国で発生したピザゲート事件です。以下では、『ワシントン・ポスト』紙の詳細な記事をもとに、この事件のあらましをみておくことにしましょう。[13]

二〇一六年一二月、ワシントンの小さなピザ店を銃で武装した男が襲撃するという事件が発生しました。幸いにして死傷者こそ出なかったものの、男を駆り立てたのは、ツイッターへの書き込みを起点として広まった「ヒラリー・クリントンを中心とする組織の拠点がそのピザ店の地下にあり、子どもへの性的虐待や殺害を繰り返している」という陰謀論でした。

男は時に銃で扉を破壊したりしながら数十分にわたって店内を捜索しますが、地下室はみつかりません。結局、陰謀の証拠を発見することはできないまま、男はピザ店を包囲した警察に投降しました。

もっとも、この男以外にも陰謀論を真に受けた人びとはたくさんおり、抗議のプラカードをもって店の前に立つ人物がいたほか、一日に一五〇件もの脅迫電話が殺到していました。その意味では、男の事件はピザゲート事件のエピソードの一つでしかなかったとも言えます。

この陰謀論がソーシャルメディア上で盛り上がりをみせた要因は、クリントンがトランプの支持者から強い反発を受けていたことや、インフルエンサーやボットが噂《うわさ》をばらまいたこと、さらには陰謀の存在を示していそうな事実の断片が存在していたことに求められるでしょう。たとえば、クリントンの選挙資金集めのためのイベントをピザ店の所有者が店で行ったというのは事実でした。

また、噂の真偽を確かめるべくこの店を訪れたトランプ派のネット配信者も、事実の断片を拡散させています。この配信者はピザを注文したあと、スマホを使って店の奥の撮影を試みました。ところがその時、店の奥では子どもの誕生日パーティーが開かれているところでした。子どもたちが見ず知らずの人物から撮影されるのは好ましくないと考えた店側は、たまたま外にいた警察に助けを求め、配信者を店から退去させました。しかし配信者は「子どもがたくさんいた」「退去させられた」という事実を「この店で何かが行われている」証拠として解釈し、多くの人びともそれを受け入れたのです。

この事件では、ピザ店の向かいにあるフランス料理店も、陰謀に加担しているとみなされ、脅迫や嫌がらせのターゲットになりました。この料理店のサイトには、同店の店主とその娘がクリントンと一緒に写っている写真が掲載されていました。サイトにはさらに、小児科医院への募金者であることを示すハート形のロゴマークも掲示されていました。ところがソーシャルメディア上では、それを児童ポルノのシンボルとする解釈が広がったのです。

このように陰謀論の特徴は、事実の断片を無理につないでいき、荒唐無稽な物語をつくりあげていく点に求められます。私自身の経験でいえば、ずっと以前、2ちゃんねるで叩《たた》かれていたときに、私が韓国政府のエージェントであり、日本を貶《おとし》めようとしているという陰謀論的主張が展開されているのをみたことがあります。

曰《いわ》く、津田はとある学会の会員である（事実です）。曰く、その学会は毎年、韓国の学会と合同でシンポジウムを開催している（事実です）。したがって、津田は韓国のエージェントである（Q.E.D.）。私からすれば「そんなわけあるか！」と言いたくなる「証明」ですが、このようにして「全てがつながった」と言い出すのは陰謀論者にしばしばみられる特徴です。

こうした陰謀論やフェイクニュースの問題は、右派的な言論との関連で語られることが多いものの、実際には政治的な党派を問わず似たような発想はみられます。日本での調査においても、国政選挙での勝利が困難な状況が続いている左派やリベラル系の政党の支持者は、選挙で不正が行われているという陰謀論的発想を受け入れやすい傾向にあることが確認されています。[14]

この意味で興味深いのは、近年出版された陰謀論に関する著作において「二〇一六年の大統領選挙においてトランプはロシアと共謀したことで勝利した」との主張が陰謀論として紹介されているという点です。[15] トランプ陣営とロシアとが共謀していたという証拠はみつかっていないにもかかわらず、反トランプ陣営は自分たちが選挙で負けた理由を真剣に検討するのではなく、「トランプ陣営とロシアとの共謀のせいで負けた」という陰謀論に安易に飛びついてしまったというのです。

とはいえ、先にも述べたように、ロシアがソーシャルメディアを介して二〇一六年の大統領選挙に干渉を試みたというのはおそらく事実であり、米国での長期間にわたる調査でも確認されています。[16] にもかかわらず、それが陰謀論になりうるのは、トランプ陣営とロシアが「共謀」していたという主張が展開されたからです。

一般に、陰謀論が広く受け入れられるためには、それが物語として面白くあることが必要になります。[17] そして、面白い物語であるための条件は、個人の決断や行動が決定的な役割を果たすという点にあります。たとえ現実にはしばしばあることであっても、偶然の作用や個人を超えた組織の力だけで問題が発生、または解決する物語は、どうしても盛り上がりに欠けてしまいます。

こうした観点からすれば、トランプ陣営とは直接の関わり合いのないところでロシアが勝手に彼を選挙で応援していたというのは、あまり面白い筋書きではありません。むしろ、トランプ陣営とロシアがひそかに手を結び、米国の民主主義を危機に陥れているというほうが物語としては盛り上がります。したがって、陰謀論を警戒するのであれば、とりわけ自分にとって受け入れやすい、面白い物語に注意すべきだということになるでしょう。

そのようなフェイクニュースや陰謀論が民主主義にとってなぜ危険なのかと言えば、先にも少し触れたように、「全てが信じられない」という態度を助長しかねないからです。民主主義は他者に対するある程度の信頼を前提として成り立つ制度です。政治家も政府機関もマスメディアも全てが信じられないということになれば、その前提が崩れてしまいます。そうした状況下では、強力なリーダーシップによって全てを一挙に解決してくれそうな、反民主主義的な政治家が求心力を増すことになりかねません。[18]

二〇二三年一一月現在、ピザゲート事件の舞台となったピザ店は営業を続けていますが、その向かいのフランス料理店は二〇一八年初頭に閉じてしまいました。地域の人びとに愛されたというその店の経営者は閉店にさいして「押し寄せる脅迫やヘイトに屈したわけではない」というメッセージを出しています。[19] けれども、閉店を伝える記事を書いた記者は、やはり心労が閉店の決断の背後にはあったのではないかと示唆しています。

2　民主主義にとっての沈黙の意味

沈黙の螺旋

ソーシャルメディアが民主主義にもたらすもう一つの脅威として論じられるのが、政治的な分極化の促進です。この問題については、第三章で米国での状況を中心に検討しましたが、ここでは別の角度から検討してみることにしましょう。また以下では、米国での文脈に沿った「分極化」に代えて、もう少し幅の広い「分断」という言葉を使うことにします。

ここでまず問いたいのは、そもそも分断とは悪いことなのだろうか、ということです。ジャーナリストのエズラ・クラインは、米国における分極化を論じた著作で「分極化に代わるものは、しばしば合意ではなく抑圧である」と述べています。[20] つまり、分断が存在しないというのは、人びとがお互いの妥協によって合意に到達しているのではなく、支配的な意見への異議申し立てが封じ込められているだけかもしれないということです。

とりわけ人びとの大多数がある意見に賛同しているとき、それに異議を唱えるのは容易なことではありません。社会心理学では、そのように少数意見を人前で言うのが難しくなり、結果として多数意見ばかりになってしまう状況を「沈黙の螺旋《らせん》」と呼んでいます。[21] この理論には批判も多く、実際には作用しないこともあるのですが、少し詳しくみておくことにしましょう。

まず、多くの人は自分を多数派だと思えば人前で意見を言いやすく感じるのに対し、逆に少数派だと認識すれば意見を言うのをためらうようになります。一般に人は孤立を恐れるからです。身近な話し合いやミーティングでも「みんなと意見が違うな」と思い、あまり発言しなかったという経験をもつ人は多いのではないでしょうか。

しかし、このように多数派意見が数多く語られ、少数意見があまり表明されなくなると、多数派はますます自分を多数派だと思い、少数派はますます自分を少数派だと考えて沈黙するようになります。これが沈黙の螺旋です。

こうした多数派と少数派との関係を単純化したのが図5－1です。実際の意見分布を点線で、発言量を実線で表しています。少数派の人びとは孤立を恐れて発言を控えるため、彼／彼女らの発言の割合が実際の意見分布で示されるよりも少なくなってしまうのです。そうなれば、少数派の沈黙はさらに進行します。

ただし、自身を少数派だと認識しても全員が発言しなくなるわけではありません。それで

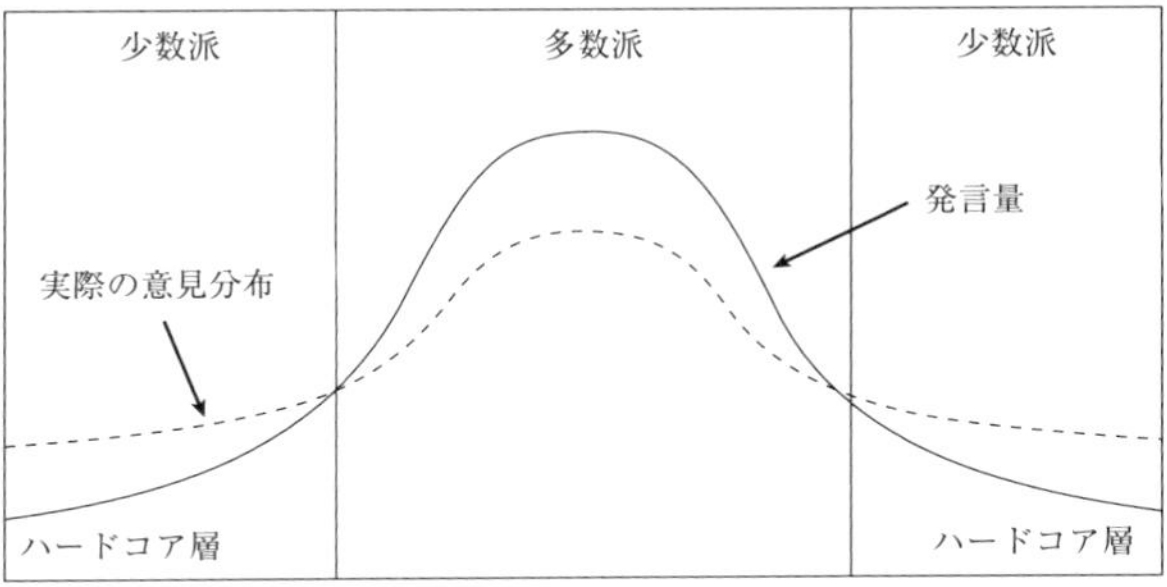

図5−1　実際の意見分布と発言量とのズレ。著者作成

も発言をやめない人はいるからです。こうした人びとはハードコア層と呼ばれます。[22] ハードコア層は、自らを少数派だと知りつつも、あるいは知っているからこそ、より多く発言するのだとも言われます。

しかし、身近なグループならどの意見が多数派なのかは比較的わかりやすいとしても、社会全体での意見分布を人はどうやって知るのでしょうか。街中での他人同士の会話なども参考にされる一方、マスメディアも重要な手がかりにされていると考えられてきました。多くの人は「マスメディアには大きな影響力がある」と考えるため、そこで紹介された意見が多数派になると予想されるということです。

もちろん、そういった意見分布に対する認識や予測がつねに正しいとは限りません。実際には少数意見でしかないものがマスメディアでさかんに取り上げられる結果、あたかも多数意見であるかのような錯覚が起きるという可能性もあります。[23] また、ソーシャルメディアに同じような書き込みを大量に行うボットの目的の一つは、意見分布に関する人びとの認識を歪《ゆが》めることにあると考えられます。

この沈黙の螺旋という理論を提起した社会心理学者エリザベート・ノエル＝ノイマンには、一九三〇年代のドイツで新聞学を学び、ナチス機関紙の記者だったという経歴がありました。[24] そこから、この理論にはナチスが少数意見を圧殺し、世論を統制していった過程が反映されているのではないかとの指摘が行われています。つまり、ナチスのやり方に内心では反対していた人びとも、自らの意見を人前で述べることができなくなり、結果としてナチスを圧倒的に支持する世論が形成されていったのではないかというのです。

以上の点を踏まえるなら、自らが少数派であることを自覚しつつも、なお発言をやめないハードコア層は民主主義にとってきわめて重要な存在だということになります。他人から「面倒くさい人」だと思われるのを嫌がって全員が空気を読んで同調してしまうと、検討されるべきリスクが見逃され、結果的に集団全体に損害が生じることにもなりかねません。法学者のキャス・サンスティーンの言葉を借りるなら「数多くの状況において、同調する者はおのれに利するのに対して、異議を唱える者は他人に利する」ということになるでしょう。[25]

ただし、ハードコア層については別の解釈が可能なことに注意する必要があります。彼／

彼女らは確かに社会全体でみれば少数派だとしても、それぞれが属する集団内では多数派であり、したがって孤立を恐れることなく発言できているのかもしれないということです。[26]仮にそうであるなら、社会全体での多数派が生み出す沈黙効果にハードコア層が対抗するためには、個々人の精神の強靭《きょうじん》さだけでなく、彼／彼女らが安心して発言できる程度の規模の仲間が必要になるでしょう。その意味で、民主主義のもとでは言論の自由だけでなく結社の自由も重要になるのです。[27]

また、ここで第一章での議論を思い出していただくと、銀英伝について「世の中の多数派の価値観とは異なる男女役割分業を描くことで、作品内での民主主義に関するメッセージを損なってしまう」という私の主張も、多数派を持ち出して少数派を抑え込もうとするかたちになっていることがわかります。現代性を考慮しなければ作品としての説得力が落ちてしまうという意見ですが、多数派の価値観を優先させるべきだという民主主義的とは言いがたい前提が含まれてしまっていることが、その矛盾点ということになります。

もう一つの沈黙

ところで、ソーシャルメディア上では、これとは異なる沈黙の螺旋が生じていると考えら

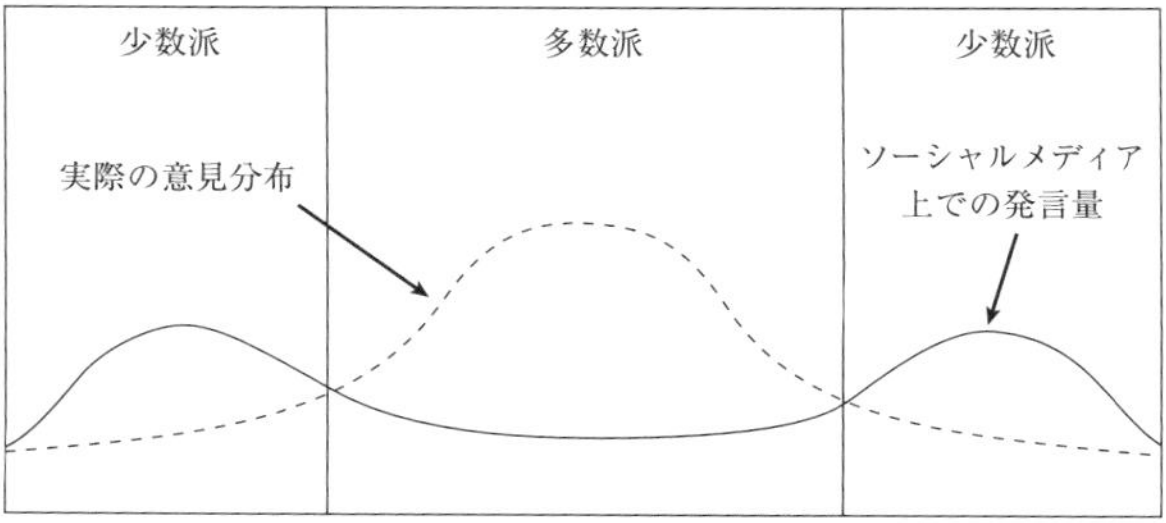

図 5－2　政治・社会的トピックに関する実際の意見分布とソーシャルメディア上での発言量。田中辰雄（2022）『ネット分断への処方箋 ネットの問題は解決できる』勁草書房、p.79（図３－３）に加筆

れます。第三章でも述べたように、ソーシャルメディア上で積極的に政治的、社会的発言をするのは少数派であり、彼／彼女らは強い党派性をもつ傾向にあります。今風の言葉で言えば「思想が強い」人びとということになるでしょう。図５－２は、インターネットで表出する意見の偏りを指摘する経済学者の田中辰雄が作成した図に少し手を加えたものです。

この図で示されるのは、つまるところ政治的、社会的なトピックに関してソーシャルメディア上でよくみられる意見は、実際の意見分布を全く反映していないということです。

それを示す例としては、二〇二〇年の東京都知事選が挙げられるでしょう。この選挙では現職だった小池百合子が六割近い得票率で圧勝しました。ところが、計算社会科学者の鳥海不二夫の分析によれば、小池に対する批判ツイートや得票率三％未満の候補者の応援ツイートが数多くみられた一方、小池を支持するツイートはきわめて少なかったというのです。[28]

こうした現象が起きる大きな要因として考えられるのが、沈黙する／しない以前に、人前で開陳したい政治的、社会的意見を多くの人は持ち合わせておらず、ソーシャルメディア上の状況もそれを反映しているにすぎないという可能性です。多くのユーザーは娯楽や気晴らし、友人の近況を知るためにソーシャルメディアを利用しており、政治的、社会的な話題にはあまり触れないし、ましてや書き込みなどしないということです。[29]

この傾向はとりわけ日本において顕著だと考えられ、第四章でも触れた世界価値観調査（第七回）によれば、ネット上で政治に関する情報を検索したことがあると回答した人は、米国で五〇・六％（二〇一七年）、ドイツで六四・三％（二〇一八年）なのに対し、日本では一三・六％（二〇一九年）にとどまっています。[30]

実際、政治的な関心が高くない人のツイッターのタイムラインをみせてもらうと、政治的なツイートが並ぶ私のそれとの違いに驚かされます。私のタイムラインでは大騒ぎになっている事柄が、そこには全くといってよいほど表示されないからです。

ソーシャルメディア上での意見分布を偏らせるもう一つの要因は、そこでの政治的発言につきまとうリスクです。この点について、クリス・ベイルは米国での状況を次のように述べています。

オンラインで政治について投稿することには、価値よりもリスクのほうがとにかく大きい。ソーシャルメディアを使う穏健派は、オンラインでの出来事がオフラインで重大な出来事を招きかねないことをよくわかっている。たとえば、幸せな結婚生活を送っているピートは妻の親戚ともうまくやっており、福利厚生の充実した手堅い政府関係の仕事に就いている。だが彼はこう言っていた。「採用時にこう注意されます……ソーシャルメディアへの投稿で政治家を悪く言うようなコメントをしたら、クビになる可能性がある、と[31]」。

とりわけフェイスブックのような実名アカウントが主流のソーシャルメディアの場合、投稿をみるのはリアルの知り合いであることが多く、政治的発言は身近な人間関係にもネガティブな影響を及ぼす可能性があります。そのため、第二章でも述べたように、ソーシャルメディアにおいて実名で、しかも政治的発言ができる立場にあるのはジャーナリスト、大学教員、弁護士、著述家といった職業のユーザーが多く、そのことが表明される意見の偏りに寄与しているとも考えられます。
他方、上記のリスクを避けるために用いられるのが匿名アカウントです。やや古いデータではありますが、日本では二〇一五年の時点でツイッターユーザーの四分の三が匿名で利用しています。[32]
しかし、匿名であってもリスクが存在しないわけではなく、何らかの理由で本人が特定され、社会的制裁を受けることもあります。そのようなリスクを冒してまで発言を続けるのには強い問題意識または承認欲求が必要であり、そのことが党派性の強いユーザーを選別する役割を果たしていると考えられます。
また、社会的制裁を受けるような内容ではなかったとしても、政治的発言は可燃性が高く、攻撃的なリプライを招き寄せがちです。そういう相手にはブロックやミュートで対応できるにせよ、気晴らしのためにソーシャルメディアを利用するのであれば、その種の発言を最初からしないのが合理的です。実際、見ず知らずのユーザーからいきなり罵倒されるのは、控えめに言っても楽しい経験ではありません。そのことがソーシャルメディア上で多数派をさらに沈黙へと追い込む螺旋を生じさせていると考えられます。

言い換えるなら、多数派を中心とする沈黙の螺旋ではハードコア層を構成し、民主主義の健全さに寄与していた人びとの声が、ソーシャルメディア上では過剰に表出される事態を生み出しているのです。

ここで改めて強調したいのは、他人に誹謗《ひぼう》中傷や嫌がらせをするのでもない限り、「思想が強い」こと自体にはなんの問題もないということです（傍《はた》からみれば、私もきっと「思想が強い」人です）。とりわけ政治的な話が避けられる傾向の強い日本社会では、そうした人がもっと多くいたほうがよいという価値判断は可能ですし、彼／彼女らがソーシャルメディア上で発言する権利は守られねばなりません。とはいえ、その影響力のあり方しだいでは、少数派の声が封じ込められるのとは異なる問題を発生させることになります。次にその問題をみていくことにしましょう。

埋没する多数派

第三章でも述べたように、政治的な分断が進むと党派のあいだでの感情的な対立も激化し、より過激で極端な意見が飛び交うようになります。もちろん、全員がそうなるわけではなく、全体でみればそうした意見を支持するのはごく一部の層ということになるでしょう。ところが、その層の意見が過剰に影響力をもつ結果として、より極端な政策を追求する政治家や政党が選挙において勝利しやすくなっているというのです。

米国の場合、選挙資金集めにおいてオンライン上で個人が行う寄付の役割が大きくなっていると指摘されます[33]。そのさい、政治家に求められる重要な資質が「目立つこと」です。人びとにとって身近な地域の問題を扱うよりも、全国的な争点になっている問題について、過激な意見で政敵を罵り、脚光を浴びることが、党派的な一部の有権者からの寄付につながるというのです。

選挙戦では一般に「無党派層をいかに取り込むか」が重要な課題としてたびたび論じられてきました。投票先があらかじめ決まっておらず、したがって説得の余地がある有権者を取り込むことが勝利するうえでは重要だということです。ところが、無党派層がどうしても選挙に行かないのであれば、極端な政策を掲げることで党派的な有権者からの票を確実に集めたほうが合理的だとも考えられます。実際、米国の選挙戦では無党派層の「説得」よりも、最初から支持してくれそうな層の「動員」のほうが優先される事態が起きているとも言われています[34]。

ヨーロッパにおいても多数派の声が政治に反映されなくなっている可能性が指摘されてい

ます。[35]多数派のあいだでの投票率が低下する一方、党派性の強い一部の層が積極的に投票する結果、中道的な政策を掲げる既存の政党が以前よりも議席を得られなくなり、極端な政策を掲げる政党の勢力が増しているというのです。

そのように尖《とが》った主張を掲げる政党や政治家は、しばしばポピュリストと呼ばれます。ポピュリズムとは一般的に「現在の政治は腐敗したエリート（エスタブリッシュメント）に牛耳られており、人民の声がないがしろにされている」との主張を掲げ、人民の声を政治に反映させることを目指す運動を指します。[36]

しかし、とりわけ分断や多様化の進んだ社会では、一枚岩的な「人民」なるものは存在しません。そのため、それらの政党は、多様な利益集団を結びつける努力をすることもあるとはいえ、党派的な一部の層の要求に寄り添うことで人民の声との近さをアピールするという方針を採用する傾向にあります。言い換えれば、ポピュリスト政党は、一部の層にとってはまさに「自分たちの要求をかなえてくれる」政党にみえるのですが、別の層にとっては「自分たちの要求に反する」政党ということになり、それが権力の座につくことは是が非でも阻止せねばならないという意識を生み出します。したがって、ポピュリストの政党や政治家は社会の分断をさらに加速させることになりがちです。

日本ではどうかと言えば、二〇一二年一二月から二〇二〇年九月まで続いた安倍政権では、衆議院議員、なかでも安倍首相本人が一般有権者に比べてかなり保守的な立場をとっていたことが指摘されています。[37] 安倍は党派性の強い層から熱烈な支持を集めており、二〇二二年七月に暗殺されたあとも、その人気は続いています。さらに、ポピュリスト政党が勢力を拡大させる兆しもあり、今後の動向にも注意を払う必要があるでしょう。とはいえ、有権者全体でみると分断や保守化が大きく進行する兆候は確認されていません。[38]

その意味で日本社会は、多数派の意向が埋没している状況にあるとは必ずしも言えない状況にあります。むしろ、ノエル＝ノイマン的な意味での沈黙の螺旋が依然として強力に作用している社会だと言えるかもしれません。

それでも、日本でもソーシャルメディア上において少数派の意見が過剰に表出する一方、多数派の沈黙が生じているのはこれまでみてきた通りです。しかも、マスメディアがそこで語られた意見の過剰表出に寄与している節もあります。マスメディアはソーシャルメディア上での動きをよく観察しており、そこで起きた騒ぎを報道することもあれば、事件が起きたさいにそこで目立った意見を「ネットの反応」として紹介することも珍しくありません。

言い換えるなら、第二章で言及した「間メディア環境」が、ソーシャルメディア上での一部の声をそのまま外部に拡散させる役割を果たしているのです。結果として、ソーシャルメディア上での分断があたかも社会の分断を反映しているかのような主張を生み出すことにもなります。

さらに、これも第二章で述べたように、そのことは政治的、社会的な次元では影響力の乏しい集団の「権力」を良くも悪くも過大にみせることにもつながります。第三章でみた被害者政治の文脈からすれば、それは敵対する集団の「権力」を誇張し、自分たちをその被害者として位置づけようとする動きにとっては有利な土壌を生み出すことになるでしょう。近年のソーシャルメディア上でしばしば展開されている「ポリコレ」批判や「キャンセルカルチャー」批判も、その批判の妥当性とは別に、マイノリティの「権力」の過大評価を生む一因になっていると考えられます。

ポピュリストの政治家や政党は、こういった状況をよく理解しています。だからこそ、彼／彼女らにとって、ソーシャルメディアは主戦場になりうるのです。

二つの沈黙、二つの分断

これまで論じてきたように、社会における沈黙を考えるにあたっては、①多数派を前にした少数派の沈黙と、②少数派同士が対立するなかでの多数派の沈黙とを区別する必要があります。とりわけソーシャルメディア上では②の沈黙が生じやすくなっています。

ただし、この二つの沈黙は同時に生じることもありえます。たとえば、全体でみれば②の沈黙が発生している一方で、対立するそれぞれの集団内部では①の沈黙が生じているケースがそれに該当します。

ツイッター上で激しい対立が起きている状況を考えてみるとよいでしょう。何らかのトピックについて意見を異にする二つの集団が激しく言い争いをしており、余計な口をはさむと吊《つる》し上げられるかもしれないし、たいして関心もないので、大多数のユーザーは黙っている状況です。

そうしたなか、私個人としては一方の集団に親近感を覚えているものの、その内部で展開されている主張には違和感を覚えるものもある。しかし、それに対する異論をツイートしてしまうと、普段は仲良くしているユーザーから嫌われてしまうかもしれない。せっかく相互フォローなのにリムられてしまうかもしれない。対立する集団からは「内ゲバ」とみなされ、喜ばせてしまうだけかもしれない。それだったら黙っておくか……という心理が働くことで①と②が同時に発生することになります。

また、②の沈黙からは、全く性格の異なる二つの分断が発生するということも指摘できるでしょう。❶党派性の強い集団のあいだで発生する分断と、❷強い党派性をもつ人びとと、そうではない人びとのあいだに生じる分断です。

コミュニケーション研究者の辻大介は、ネットの利用によって政治的関心の高い層のあいだで生じる党派的な分断と、政治的関心の高い層と低い層とのあいだで生じる分断という二つの分断について論じています[39]。後者の分断について補足するなら、政治的関心の高い層はネットを通じて政治的な情報をより多く収集し、知識を深めていくのに対し、関心の低い層は娯楽的なコンテンツへの接触により多くの時間を割くために、両者の知識の格差が広がっていくことで分断が生じる可能性が指摘されているのです。

私が先に述べた❷の分断と、辻が論じる後者の分断はおそらくかなりの程度まで重なるものの、違っている部分もあります。❷の分断のもとで沈黙している多くの人びとは、必ずしも政治的関心が乏しかったり、知識が欠いているとは限らないという点です。もちろん、関心が低く、語りたい意見もないために黙っている人も多いと思われますが、そうではなかったとしても、極論が飛び交う言論空間では黙っておいたほうがよいと判断する人も少なくないでしょう。

政治的分断が深刻化している米国のような社会では、❶の分断によって連邦議会で政府予算案がなかなか可決されず、政府機関が閉鎖される事態が何度も発生しています。もちろん、多くの人びとは、そういった事態を歓迎していません。それぞれの政党が自党の原理原則にこだわらず、歩み寄ることを求めています。[40] しかし、妥協は熱烈な支持者によって「裏切り」とみなされてしまうリスクがあることから、多くの政治家は強硬な姿勢を崩すことができません。ここに❷の分断をみることができます。

日本のように現状では政治的分断がさほど深刻化していない社会においても、❷の分断が起きる可能性はあります。日本の社会では選挙を除いて政治に関わりたくないという態度がしばしばみられ、[41] その背後には「他人との対立を避けたい」という心理があるとの調査結果が報告されています。[42] 第四章で述べたように、人間関係を円滑にするために「人それぞれ」で意見の衝突を避けるやり方が好まれている状況下では、対立の発生が避けられない政治の営みが嫌われても不思議ではありません。その場合、政治に関わろうとする人とそうでない人とのあいだに潜在的な亀裂が生じることになってしまいます。

実際、エネルギー問題、ジェンダー、表現の自由、移民や難民の処遇など、ソーシャルメディア上で発生するさまざまな対立では、誹謗中傷や嫌がらせがありふれており、訴訟も頻繁に起こされています。しかも、政治運動に参加した若者の写真やプロフィールがツイッターでさらされ、長期間にわたって揶揄《やゆ》や嘲笑の対象になるといった事態も起きています。
そのようなソーシャルメディア上での光景が人びとの政治意識にいかなる影響を与えるのかは、今のところ定かではありません。しかし、投票率が低下傾向にあるだけでなく、デモへの参加、署名運動への協力、政治集会への出席といった政治活動が低迷を続けているさなかにあって、[43]ソーシャルメディア上での諍《いさか》いが「政治とはこのようにドロドロしたものだ」という印象を強め、それがとりわけ若い人びとをさらに政治から遠ざける効果をもつことを個人的には危惧しています。
ただし、政治への関心の低さが悪いことだとは言い切れない部分もあります。たとえば、政治的な関心の低い人は、陰謀論と接する機会も少なく、それらを受け入れない傾向にあることを示す調査結果も存在しています。[44]また、応援する相手がいてこそスポーツ観戦は盛り上がるのと同じく、関心をもって政治を眺めることは往々にして党派性を強化し、分断をもたらすことになります。[45]
さらに言えば、政治に関心をもたざるをえないというのは、往々にしてその成り行きに今後の生活が翻弄されることを意味しています。それは必ずしも幸せな状態とは言えないのではないでしょうか。

3 望ましい沈黙、望ましい分断

価値判断をめぐる問題

先に述べたように、分断それ自体は否定されるべきではありません。何らの分断も生じさせない政治は、抑圧によって異論の発生を抑え込んでいるだけかもしれないからです。とはいえ、人びとの意見が分かれている状況がつねに好ましいわけでもありません。ここで問われているのは、何が好ましい沈黙で、何が好ましい分断なのかという価値判断をめぐる問題なのであり、それは中立的、客観的に決定することができないのです。

たとえば、私個人としては、人種、ジェンダー、宗教などに関する差別的な言論や表現については異論なしに否定されるべきだと考えています。差別発言をしてもよいという空気がいったん生まれると、それによって差別がさらに助長され、差別の対象となる人びとの生活が脅かされることにもなりかねないからです（しかし同時に、それが言論や表現の自由と両立するよう、「差別」の範囲を狭く絞り込んでおくことが必要だとも考えます）。

また、多数の専門家が「安全性に問題はない」とする事象について、安全性を訴える議論と、リスクを強調する議論の両方がいつまでも展開され続けると、人びとを無用な不安に追いやり、もっとリスクの高い選択をさせてしまうことにもなりかねません。対立する主張が併記されている場合、多くの人は不安をかきたてる説明のほうに注目する傾向にあるからです。[46] この場合、根拠の乏しいリスクを強調する意見を述べる人には黙っていてもらったほうがよいということにもなるでしょう。しかし、以上のような価値判断に従って万人を納得させるのは不可能です。

先に言及したサンスティーンは、集団的な同調圧力について論じた著作のなかで「天邪鬼《あまのじゃく》」について論じています。[47] 彼によれば、同調圧力に抗して集団内の多数意見に異論を唱える人びとは、集団に新しい情報をもたらすという点で有用な役割を果たす。ところが、天邪鬼は異論を述べること自体を目的にしており、そういった人物は集団をむしろ間違った方向へと誘導してしまうことにもなりかねない。日本でおなじみの表現を用いるなら「反対のための反対」ということになるでしょう。

しかし、不安を述べること自体を封じ込め、議論そのものをタブーにしてしまうと、表面的に議論は収まったとしても、「安全性に問題はない」とされたものについてのネガティブなイメージだけがずっと漂い続けるという可能性も指摘されています。[48]

さらに重要なのは、どれが有用な異論で、どれが「反対のための反対」なのかをどうやって決めるのかという問題です。ある意見を標榜《ひょうぼう》する側はしばしば、自分たちに対する異論を天邪鬼によるもの、耳を貸す必要のない愚論として切り捨てようとします。

たとえば、二〇〇四年に出版された原発と報道に関する著作では、次のような議論が展開されていました。[49] 原子力発電所ほど耐震性を重視した建築物は存在しない。専門家が検討した結果、その安全性は確認されている。したがって、浅い知識によって地震で原発事故が起きるかもしれないなどと報道するのは慎むべきである。要するに、そのような報道は天邪鬼でしかないというのです。しかし、その七年後に福島原発事故が起きたことを踏まえると、それが天邪鬼だったというのは暴論と言わざるをえないでしょう（事故の原因は津波であって地震ではない、という反論もありえるかもしれませんが……）。

このように、何が望ましい沈黙で、何が望ましい分断なのかの決定には、個々人の価値判断がどうしても関わってくるのであり、だからこそ合意に到達するのが困難なのです。言い換えるとそれは、ある争点についていかなる主張が正しいのかということだけでなく、何を争点にするべきなのか、するべきでないのかという点でも対立が発生しうるということです。最後にこの問題についてソーシャルメディアとの関連で検討することで、本章の結びとすることにしましょう。

フェミニズムとトランスジェンダー

近年においてソーシャルメディア上で激しく争われているトピックの一つが、トランスジェンダーをめぐる問題です。これまでのジェンダーのあり方が問い直されるなかで、出生時に付与された「性別」とは異なるアイデンティティのもとで生きる人びとの存在がクローズアップされるようになってきました。[50]

しかし、トランスピープルをめぐっては、フェミニズム運動のなかで激しい対立が生じています。[51] 一方には個々のアイデンティティを尊重し、トランス女性は女性として、トランス男性は男性として、あるいは男性や女性という区別には合致しないノンバイナリーとして生きていける社会を実現しようとする立場があります。

他方には、アイデンティティに基づく区別を認めることが「本物の」女性を犯罪の危険にさらすだけでなく、トランス女性は女性として扱われることを求めるがゆえにフェミニズムが闘ってきた「女らしさ」というジェンダー規範を再び強化してしまうとの立場が存在しています。歴史的、社会的に構築された「女性」というカテゴリーが女性を特定の枠に押し込めるために用いられてきたことを踏まえるなら、わざわざ「女性」という窮屈なカテゴリーに含まれることを目指さずともよいではないかというのです。[52]

後者の立場からしばしば提起されるのが、女性のための場所をめぐる問題です。アイデンティティに基づいてトランス女性を女性と認めるならば、男性器をもった人物が女性用のトイレや更衣室、（日本の場合には）公衆浴場を使用できるようになってしまうというのです。

それに対しては、現状でも女性用トイレの利用にあたっては男性器の有無を確認しておらず、個室利用であるために他人に性器をみせることはない、アイデンティティに基づくトイレ利用を認めなければトランスであることを周囲に公表するのを望んでいない人にまでカミングアウトを強要することになる、出生時に割り当てられた性別に基づくトイレ利用を強制すれば混乱はかえって大きくなる、男性器をもったまま公衆浴場を利用することは認められていない、アイデンティティに基づくトイレの利用を認めても性犯罪は増えないという米国での調査結果がある等の反論が行われています。[53]

さらに、トランスピープルのアイデンティティを尊重する立場からすれば、トイレや更衣室をめぐる争点（より根本的な次元では性器の状態というきわめてプライベートな事柄）に人びとの関心が集中してしまうこと自体が問題だということもできるでしょう。[54] なぜなら、それらが争点化し続け、そこから一歩も先に進めないことで、トランスピープルが直面する学校や職場でのいじめ、家族からの拒絶、家庭内暴力、就職難に伴う貧困、医療機関や介護施設などでの困難といったより重要な争点にいつまでも光が当たらないからです。

しかも、そうした議論が続くことで、トランスピープルはつねに犯罪との関係性のもとで語られてしまい、警戒すべき対象から抜け出せなくなってしまいます。そこでは女性用施設を利用するトランス女性と性犯罪者とがしばしば混同され、後者について議論していても結局は前者を危険視する主張へとスライドしていってしまいます。

争点と境界線

少し抽象的になりますが、上記の対立を境界線という観点から論じてみましょう。かつて政治哲学者のカール・シュミットは、「政治的なもの」の本質は「友」と「敵」の区別にあると論じました。[55] ナチスに協力した経歴をもつとはいえ、闘争こそが政治の本質であるとみなした彼の思想は、今日においても多くの示唆を与えてくれています。

ここで重要なのは、誰が「友」で、誰が「敵」なのかはあらかじめ決まっているわけではないということです。[56] むしろ、政治においては、できるだけ多くの「友」ができ、「敵」が

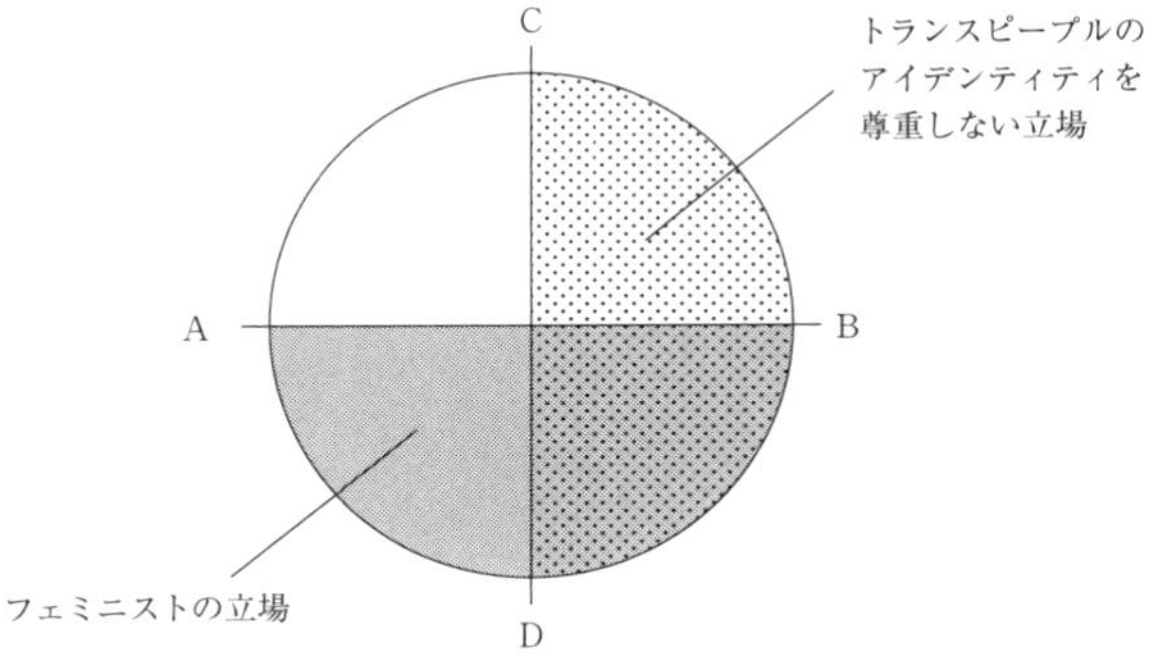

図5－3　党派間の境界線。シャットシュナイダー、E.（1972）内山秀夫訳『半主権人民』而立書房、p.90 に加筆

少なくなるところに境界線を引くことが重要な課題となるのです。もちろん、相手側も同じように考えて境界線を引こうとしてきますから、そこでは境界線をめぐる闘争が展開されることになります。

たとえば、権威主義的な国家において、反体制運動は「腐敗した政府」と「人民」との対立軸を生み出そうとします。それに対し、近年では政府の側が反体制運動を「既得権者」や「エリート」と位置づけ、それ以外の一般庶民とのあいだに境界線を引いて、自身を後者の側に立つ存在として位置づけるようになっているとも言われています。[57]

政治学者のエルマー・シャットシュナイダーは、そのような境界線と争点との結びつきについて図5－3のようなかたちで整理をしています。これをフェミニズムとトランスジェンダーの関係にあてはめて考えてみましょう。

まず、AとBのあいだで引かれるのを「男は男らしく、女は女らしくふるまうべきか否か」という意見区分に基づく境界線だとします。円の上半分をその意見に賛成する立場だとすれば、多くのフェミニストは旧来の性別役割分業に批判的ですから下半分がその立場ということになります。

ところが、「トランスピープルのアイデンティティを尊重すべきか否か」という別の意見区分に基づいてCとDのあいだに境界線が引かれれば、AとBを境界線とする対立では足並みがそろうはずのフェミニストのあいだに分断が生じることになります。

それだけでなく、「男は男らしく、女は女らしく」という伝統的なジェンダー観を支持する人びとのうち、トランスピープルのアイデンティティの尊重に否定的な人びとと外形的には同じ陣営に属することになるのです。あまりないとはいえ、その反対側でも新たな組み合わせが生じうるのは言うまでもありません。もちろん、このような整理には「あんなやつらと一緒にするな」と思われる方もいるとは思いますが、あくまで外形的にはそうなるということです。

シャットシュナイダーによれば、どの境界線が多くの人びとの意識にのぼり、どの境界線が忘却されるかが決まるうえで重要な役割を果たすのが、まさに何が争点になるかだといいます。それによって「味方が敵になり、敵が味方になる」というのです。[58]

アイデンティティを尊重する側からすれば争点化すべきトピックではないトランス女性のトイレや更衣室の問題がことさらに注目され続けることで、性別役割分業については同じ側にいるはずの人びとのあいだに亀裂が入ってしまうのです。しかし、それらの場所を安心して使えることを求める側からすれば、それらはまさに争点化すべき事柄であり、沈黙していることはできないということになるでしょう。

歴史的にみると、とりわけ既存の政治、社会体制のあり方に批判的な運動は、しばしばこういった分断に苛《さいな》まれてきました。たとえば、一九世紀末の米国南部に現れた人民党は、白人と黒人の協力のもとで経済格差の是正やインフレ対策を要求し、支持を広げていきました。[59]ところが、その影響力の拡大を危惧した勢力は、激しい分断工作を展開します。黒人男性による白人女性への性暴力に対する恐怖や、「黒人による支配」への不安が新聞によって喚起されるなど、運動内の対立を煽《あお》ったのです。それを要因の一つとして人民党は勢いを失い、既存の経済構造と白人支配とが継続することになったと言われています。

この例に限らず、犯罪の脅威を強調するのは、集団間の共存や協力が不可能なことを訴えるために古今東西で無数に用いられてきた手法です。現代のソーシャルメディア上でも、犯罪への不安やテロへの恐怖は語られ続け、それによって本来であれば連帯できるはずの人びとのあいだに分断がもたらされています。

とはいえ、そこに分断が生じるべきではないというのも、結局は一つの価値判断でしかありません。しかも、女性に比べれば性犯罪の被害に遭う可能性がはるかに低い私のような立場から、そういった不安について語るべきではないと主張するのは横暴としか言えませんし、無理にやめさせようとするのは抑圧にほかなりません。性暴力の被害経験をもつ人が不安を口にしただけで「差別」や「ヘイト」というレッテルを貼られてしまうことに不満をもつというのも理解できるところです。

まとめるなら、分断が生じている問題についてどちらの側が正しいのかについては言うまでもなく、どの境界線に沿った分断を受け入れるべきなのか、さらにはどの争点について話し合いをするべきなのかについてまでも、合意に達することが困難な状況がしばしば生じるのです。

おそらく、そのような袋小路を脱するために必要になるのは、具体的な事案に即して落としどころを探っていくという作業です。出来事の経緯、関係者の状況、問題となっている環境を踏まえたうえで、可能な対処法を地道に探ることが求められるのです。ところが、ソーシャルメディア上での議論は基本的に「空中戦」、すなわち地に足のついていない抽象論同士の対決に終始しがちです。

二〇二三年七月、経済産業省の職員であるトランス女性に対して国が女性トイレの使用を認めなかったことに対し、最高裁は国の対応を違法とする判決を下しました。この判決に対するある裁判官の補足意見は、（出生時に割り振られた性別とアイデンティティが一致している）シス女性の職員に配慮する必要性を認めつつも、関係者間の「利益衡量・利害調整を、感覚的・抽象的に行うことが許されるべきではなく、客観的かつ具体的な利益較量・利害調整が必要である」と論じています。[60] 第一章でも述べたように、「お気持ち」を完全に無視するのは不可能ですが、それでも具体的な状況に即した議論をすべきだという点については強く同意したいところです。

残念なことに、ソーシャルメディアでの議論は、そうしたタイプの調整に全くもって向いていません。具体的な事例について詳細に検討するためには、それなりの学習が必要になりますが、論戦の参加者の多くにとってそのハードルは高いからです。

結果、抽象論では永遠に決着のつかない争点について論戦が繰り返されることで、敵対する集団への憎悪と被害者意識だけが蓄積され、分断をさらに深めていくことになるのです。

終章　単純さと複雑さのせめぎ合い

本書ではこれまで、ソーシャルメディア、とりわけツイッターの一部において、なぜ諍《いさか》いが頻発するのかを論じてきました。ただし、掘り下げることのできなかった問題もいくつか残っています。ここではそれらのなかでも、カテゴリー化とシニシズムの問題について述べたうえで、私の考えるソーシャルメディアの最良の可能性について論じたいと思います。

陰口としてのカテゴリー化

第三章では「偽りの分極化」を生じさせる重要な契機としてカテゴリー思考の問題を取り上げました。つまり、気に食わない人びとを何らかのカテゴリーで括り、彼／彼女らを異常な存在とみなす発想のことです。

社会のありようを論じるにあたって、カテゴリーの使用を完全に避けるのはきわめて困難です。本書ではなるべくカテゴリー使用を避けてきましたが、それでも何らかの特徴をもつ集団に言及するために使わざるをえない部分もありました。

ソーシャルメディア上では、抽象化の操作に長《た》けた研究者や著述家、インフルエンサーが粗野なカテゴリーを新たに作り出したり、濫用している様子が頻繁に観察されます。その理由の一つとして考えられるのが、カテゴリー使用が陰口として機能しうるということです。

　第四章でも言及した社会学者の奥村隆は、陰口が叩《たた》かれる要因の一つとして「思いやり」の存在を挙げています。[1]奥村の議論をもとに、以下のような場面を考えてみましょう。

　知人Aと話をしているとき、もう一人の知人Bがやってくる。最近、私はBの書いた論文を読んだが、その出来はひどいものだった。しかし、それを正直に話せばBを傷つけてしまうかもしれず、私に対するAやBからの評価を下げてしまうことにもなる。そこで「思いやり」から「このあいだの論文、面白かったよ」などという会話をする。しばらくすると、Bはその場を立ち去り、私とAが残される。

　この時、私が何も言わなければ、私はBの論文を評価しているとAに思われかねない。「思いやり」によって言わなかったけれども、私本来の評価基準はもっと厳しく、それからすればBの論文は到底受け入れられない。だからこそ、Aに対して「Bの論文、あれはひどいよね」と陰口を叩き、私が自らに課している評価基準の厳しさを示したい。間接的にではあれ、私が書く論文はBのそれよりはるかに優れていることをAに伝えねばならないのだ。

このような例を出すと、私がめちゃくちゃ嫌なやつにみえるでしょうが、これはあくまで架空の場面であることに注意してください。本当に。読者の皆さんには「論文」の代わりに「ファッション」でも「仕事の出来」でも、身近な項目に入れ替えて想像してもらえると助かります。

さて、「目に入ったものが自らの評価基準を満たさない」ことへの苛立《いらだ》ちは、ソーシャルメディアに接していても日常的に発生します。もっとも、ギャラリーたるAは通常その場にいないので、陰口を言うことで自分の評価基準の厳しさを証明する必要はありません。それでも、自分が直接に関係していたり、強い関心をもつ事柄について、評価基準に達しないものを目にすると、何かを言わなくてはいけないという気持ちになることもあります。

第二章でも述べたように、インターネットを介した見ず知らずの相手とのコミュニケーションの場合、「思いやり」によって相手の面目を保つ必要性は必ずしもありません。罵倒することで喝采を浴びることも少なくないのです。

ところが、とりわけ実名でアカウントを運用している場合、そのような罵倒にはリスクが伴います。直接にリプライを飛ばさなくても、エゴサーチによって自らの罵倒ツイートが発見されてしまった場合、勤務先や通学先への抗議があるかもしれませんし、訴訟に発展するリスクもあります（もちろん、匿名アカウントでも発信者情報の開示請求が通れば訴えられます）。そこまで行かずとも、絡まれて面倒くさい思いをするかもしれません。

そこで有用なのが、カテゴリーの使用です。「限界左翼」「Jリベラル（日本に特有のリベラルのこと、基本的に悪口）」「ツイフェミ」「ポモ（ポストモダンの略称、悪口）」「社会学者」「表現の自由戦士」「フカソ（フカフカのソファーに座って安全圏から空理空論を述べる人びとのこと、絶対に悪口）」「御用学者」「偽装保守」「〇〇脳」などなど、本人の名前を出す代わりにカテゴリーを使うことでリスクを下げるというやり方です。要するに、安全に陰口を叩くための方法の一つがカテゴリー化なのです。批判対象に直接言及することなく、「何か見た」というフレーズで文句を言うのも、そうした方法の一つに含まれるでしょう。

もちろん、カテゴリーの使用には弊害もあります。もともとは特定の個人が念頭にあったとしても、その指示対象がはっきりしない以上、自分が想定するよりも多くの人を不快にさせてしまう可能性がつねにあるのです。

私自身、自分がそこに含まれているかもしれないカテゴリーが批判されているのをみると、正直イヤな気持ちになりますし、それを使う人を嫌いになります。そっちが括るなら、こっちも括ってやれという気持ちになる人もいるでしょう。自分が先に他人を括ったことを自覚していないのに、他人から括られた不快感だけを記憶するなら、被害者意識を生み出すことにもなりかねません。

カテゴリー使用のもう一つの問題は、それがいったん多くの人に受け入れられると、簡単に一人歩きを始めるということです。そのカテゴリーに含まれると思しき人びとは戯画化された存在になり、多くの場合、自ら考える力も公正さも持ち合わせず、保身や自己利益だけを追求する卑しい存在とみなされるようになります。

言わば、カテゴリー化は「シニシズム」と非常に相性がよいのです。そこで次に、シニシズムの問題に目を向けることにしましょう。

シニシズムとは何か

シニシズムとは、簡単に言えば、他人の行動の動機について、ろくでもないものばかりを想定する態度を指します。人の心のなかを覗《のぞ》くことはできないので、本人以外は（時には本人でさえも）それを想像するよりほかありませんが、そのさいにひどい動機ばかりを割り当てるのがシニシズムなのです。

その例として、第一章で言及したブログのエントリ「津田正太郎教授の規制論法の小ズルさ」をまた取り上げてみましょう。このエントリによれば、銀英伝についての騒動を私が起こしたのは「作品を犠牲にしてでも、仲間の界隈《かいわい》で地位を高め、取材や講演の機会を増やし、大学内でのプレゼンスを上げる」ことが目的だったとされています。

なにせ心のなかの話なので証明しようがないのですが、すでに述べたように問題となったツイートをした時点で、私はそんなことを夢にも思っていませんでした。ところが、このエントリの読者の多くは、その分析に説得力を感じたようでした。

このように、もっぱらカネ、地位、名誉、性欲といった語彙だけを使って他人の動機を解釈しようとする態度がシニシズムということになります。逆に言えば、シニカルな見方に立つと、対象となる人物が利他性や正義感、職業的使命感や信念に基づいて行動している可能性や、逆にたいした意図がなかったという可能性は無視されやすくなります。

別の例を挙げるなら、二〇二二年後半から翌年にかけて若年女性を支援するNPO（非営利団体）がソーシャルメディア上で激しく攻撃された事件でも、強烈なシニシズムが作用していたと言えるでしょう。その攻撃のなかでさかんに用いられた「公金チューチュー」という言葉に象徴されるように、あたかもその団体が公的な助成金で女性の支援ではなく私腹をこやすことを目的に活動しているかのような主張が数多く展開されたのです。[2] さらには、この団体の路上での活動に対してさまざまな妨害活動が行われる事態にまで発展しています。

社会学者の仁平典宏によれば、対価を求めることなく他者に何かを与える〈贈与〉的な行為（典型的にはボランティア活動）は、そこに隠された対価を暴露しようとするシニカルな解釈をしばしば引き寄せると言います。[3] 単純化して言えば、〈贈与〉的行為を行っている者自身の主観的な解釈とは無関係に、「あいつらは善意で動いていると言っているが、実際には何かを対価として得ているに違いない」という発想から、その隠された対価（支援対象の支配、公金の横領、売名や自己満足など）を暴露しようとする動きを生じさせるのです。ボランティア活動とNPOという違いはあるにせよ、先の例はその典型的な表れと言えるでしょう。

さらには、ソーシャルメディアという場そのものが、シニシズムを引き寄せやすい性格をもつのかもしれません。メディア史研究者の佐藤卓己は、特定の主義主張を広めるのではなく、自分自身の宣伝を目的にする人間を「メディア人間」と呼んでいます。[4] 逆に言えば、それが自己宣伝になるかどうかで自分の主張する内容を決めるという類の人物です。

こう聞くと、一部のインフルエンサーや迷惑系ユーチューバーなどがすぐに思い浮かぶかもしれません。しかし、ソーシャルメディアで積極的に情報発信を行う人物は誰しも、大なり小なりこのメディア人間的特性をもっているとも言ってよいでしょう。つまり、自分自身をコンテンツにして切り売りしているということです。

私自身、ずっとツイッターをやっているせいか、何かに感動したり、悲しい気持ちになったときに、頭のどこかで「これをどうツイートしようか」と考えているようにも思います。純粋に湧き上がってきた気持ちなのか、それとも外部に向けて発信するための材料なのかが判断できなくなるのです。

このように、ソーシャルメディアでのあらゆる発信には自己宣伝的な側面がつきまとい、だからこそ真摯な発言であったとしても「売名」だというシニカルな解釈を呼び起こしやすいのではないでしょうか。

もちろん、シニカルな解釈がつねに間違っているわけではありません。カネ、地位、名誉、性欲などに全く動かされない人はきわめて稀《まれ》でしょう。ただし、人間がそれらだけで動かされるというのは一面的な見方と言わざるをえません。

たとえば、大規模な災害が起き、自分自身の生命も危ないという状況であっても、多くの人は互いに助け合うことが知られています。他人を押しのけて自分だけが助かろうとする人もいないわけではありませんが、食料や医療品が不足する災害現場であっても、それらを分け合う人びとは国や時代を超えて存在します。

おそらく問題なのは、利他的な動機と利己的な動機を完全に別物としてしまう人間観でしょう。一つの行為に複数の動機が含まれることは当然にありうるからです。[6]

全体としてみれば利己的な行動であっても、わずかに利他性が含まれることもあれば、逆におおむね利他的な行動であっても利己的な動機が入り込んでいることはありえます。困っている人を助けたいが、恰好《かっこう》をつけたいという見栄も含まれているというのはよくある話でしょう。「一〇〇%他人のため」という純粋な動機しか許されないのであれば、人間が他者に何かをなすことのできる範囲は著しく小さくなるはずです。

シニシズム・陰謀論・ポピュリズム

このようなシニシズムが政治家や官僚といった政治エリートに向けられるときに生じるのが政治的シニシズムです。「政治家は選挙で当選することしか考えていない」「官僚は天下り先で高給をもらうことしか考えていない」などの主張がそれに該当します。繰り返しになりますが、そういった見方が全て間違いだとは限りません。とはいえ、それで説明できるのは、政治の一側面でしかありません。

政治的シニシズムが問題なのは、それがポピュリズムをしばしば引き寄せるからです。たとえば、第三章でも取り上げたドナルド・トランプは、二〇一六年の選挙期間中、「ワシントンのエスタブリッシュメントやそれに資金を提供する金融やメディア企業は、ひとつの理由、すなわち自らの保身と富だけのために存在しているのだ」と発言しています。[7]また、政治エリートが自分たちのことしか考えていないのであれば、その役割を可能な限り小さくするために行政サービスを削減すべきだという発想にもつながりやすくなります。[8]結果として、それらのサービスを必要とする多くの人びとを困らせることになりかねないのです。

ポピュリストはそのように腐敗した政治エリートと対比させるかたちで自らの無私性を誇示するのですが、実際にはそうした主張を行うポピュリスト側のほうが腐敗していることは珍しくありません。「お前たちはカネ目当てだ」と他人を罵倒する人のほうが、むしろカネ目当てでそうしていると思しきケースもあります（こうした見方自体、一種のシニシズムではあるのですが……）。

また、政治的シニシズムには陰謀論と結びつきやすいという側面もあります。「あいつらは自分のことしか考えていない」という発想と、政治エリートは隠れて悪巧みをしているに違いないという発想との相性は良いのでしょう。まさに政治的シニシズムが媒介となって、陰謀論的な思考をもつ人びとがポピュリズムに引き寄せられることを示唆する調査結果も報告されています。[9]

先に述べたカテゴリー化は、このようなシニシズムと容易に結びつきます。特定の個人の行動がシニカルに解釈されることも多いとはいえ、個人を名指ししなければシニカルな解釈への反論がより難しくなるからです。

たとえば、二〇一八年に米国で行われた調査では、共和党支持者と民主党支持者の多くが相手側の政党支持の理由をシニカルに解釈していることが判明しています。[10]民主党支持者の多くが積極的な民主党を支持する人びとの動機として、共和党支持者の多くは「福祉にただ乗りしたいから」だとみなしています。働かずに福祉に頼って生きられるようになることを期待しているというわけです。他方、減税に積極的な共和党を支持する人びとの動機について、民主党支持者はそこまでシニカルではないにせよ「金持ち（または将来、金持ちになれると信じている人）が富を独り占めしようとしている」と解釈する人もいました。つまり、双方の集団がお互いを「国家や社会ではなく自分の利益だけを考えている」とみなし合っている状況にあるのです。

このように、ソーシャルメディアの一部では、カテゴリー化とシニシズムが結びつき、敵対集団への憎悪を高めていくという不毛な状況が続いています。しかし、本書の冒頭でも述べたように、こうした状況がどうすれば改善され、ギスギスした空気が解消されるのかについて、私には全くアイデアがありません。

しかし、それで本書を終えてしまうのもどうかと思いますので、最後に私が考えるソーシャルメディアの最良の可能性について論じることにしましょう。

他者の目に映る世界

集団に対するシニシズムとは、別の言い方をすれば一種のステレオタイプです。つまり、「あの連中は自分たちのことしか考えない」という決めつけです。集団に所属する一人ひとりの個性や思想の違いは無視され、あたかも集団全体が一つの行動原理に従って行動しているかのように論じられてしまうのです。

たとえば、「Jリベラル」でも「限界左翼」でも何でもよいのですが、私個人がいったんそういったカテゴリーに割り振られてしまうと、どれだけ一生懸命に考えて言葉を紡ぎ出そうとも、どれだけ長い時間をかけて調査をしようとも、その顔のないカテゴリーがカネや地位のために私の口を借りてしゃべっているだけということになってしまうのです。

もっとも、全てのカテゴリーが受け入れられるわけではありません。ソーシャルメディア上で広まりやすいのは、多くの人びとがもともと漠然と抱いていたイメージを明確にしたカテゴリーということになるでしょう。言い換えれば、「あいつらはそういう連中だ」という先入観にうまく合致しないと、なかなか受け入れられないのです。

しかし、それゆえにそれらのカテゴリーは、それまでの見方を更新するものではありません。すでに抱かれているイメージを補強するだけだからです。ここでは、それとは対照的な他者理解の方法として、社会学者の石岡丈昇《とものり》による社会調査論を紹介したいと思います。[11]

石岡はその調査において、フィリピンの首都マニラで貧困状態にありながらボクシングを続ける選手と一緒に生活するという参与観察の手法を用いています。ただし、石岡によれば、こうした調査において「マニラのボクサーとはどんな人びとなのか」という問いにこだわってはいけないと言います。収入や家族構成、出身地や学歴は確かに重要な情報だとしても、それらだけに意識をとられると参与観察の良さは活かせない。むしろ問うべきは「マニラのボクサーはどのような世界に対峙《たいじ》し、日々を過ごしているのか」だというのです。

たとえば、年間所得の総額が結果的に同じだとしても、毎月、同じ金額が入ってくるのが予想できる生活と、ある時期に大きめの金額を受け取れたとしても次にいつ収入があるのかが予測できないボクサーのような生活とでは、生活設計のしやすさが全く異なる。年間の所得額をみているだけではわからない、そういった生活のありようが一緒に生活するなかでみえてくるというのです。他者の目に映る世界をみようとすることで得られるそうした知識は、できあいのイメージをただ補強するだけのカテゴリー化とは対極的な位置にあると言ってよいでしょう。

社会学者による参与観察とは全く異なりますが、ツイッターのようなソーシャルメディアは、他者にとっての世界のありようを垣間見せてくれることがあります。生まれたところも年齢も職業もジェンダーも異なる人が、日々の生活のなかで抱くちょっとした悩みや喜び、悲しみや驚き、さらには何とも形容しがたい感情を伝えるつぶやきからは、他者が対峙している世界の断片が伝わってきます。

もちろん、それによって他者を理解できるというわけではありません。ソーシャルメディア上に現れるのは、あくまで断片でしかなく、しかも他者にみせるための言葉や画像です。世界を正確に反映しているわけでは決してありません。さらに言えば、どこまで行っても他人は他人ですし、他者を理解したという思い込みは、かえって傲慢な態度につながってしまうことすらあります。

それでも、境遇や立場の全く異なる人が、自分自身の言葉で生活を綴《つづ》っているのを読むと、それまで私にはみえていなかった世界の側面がみえたように思えることがあります。コロナ禍における医療従事者の苦しみ、清掃員の立場からみた困ったゴミ、やってくるエレベーターが満員のために車いす利用者がなかなか乗れない状況など、それらは以前であれば多くの人びとがみることのできなかった世界の側面です。

単純さと複雑さのせめぎ合い

別の言い方をすれば、ソーシャルメディア上では世界をより単純にしようとする力と、それに抗《あらが》ってより複雑な側面をみせようとする力とがせめぎ合っていると言うこともできます。

カテゴリー化はしばしば対立する集団を邪悪で利己的なモンスターのようにみせる一方、自分たちの側をその対極に位置する集団と位置づけ、それとの一体化を促すことで世界を単純化しようとします。それに対して上述したのは、個々人の目に映る世界をなるべくそのままのかたちでみようとする、したがって世界の複雑さを理解しようとする試みです。

繰り返しになりますが、人間の情報処理能力には限界がある以上、世界の複雑さをそのまま理解するのは不可能ですし、どうしてもカテゴリーに依拠しなくてはならない場面は多々存在します。しかし、それでもソーシャルメディアが単に世界を単純化し、要約するためだけに用いられるのであれば、その技術上のポテンシャルを結局は活かしきれていないということになるのではないでしょうか。

いつまでそうあり続けるかは定かではありませんが、ツイッターの記入欄には「いまどうしてる?」という文字が入っています。政治的、社会的なトピックについて書き込むのも悪くはないのですが、日常のささやかな出来事をそれとなく書いていくことは、あなたにみえている世界をシェアすることで世界の複雑さに寄与するだけでなく、ソーシャルメディアの荒れた領域のなかで自らの攻撃性を飼いならすための一助になるかもしれません。

思想家の内田樹《たつる》は、メディアに関する著作のなかで「別にあなたが言わずとも、誰でも言いそうなこと」を「世論」としたうえで、次のように述べています。

> せめて僕たちにできることは、自分がもし「世論的なこと」を言い出したら、とりあえずいったん口を閉じて、果たしてその言葉があえて語るに値するものなのかどうかを自省することくらいでしょう。自分がこれから言おうとしていることは、もしかすると「誰でも言いそうなこと」ではないのか。(…)どうせ口を開く以上は、自分が言いたいことのうちの「自分が言わなくても誰かが代わりに言いそうなこと」よりは「自分がこ

こで言わないと、たぶん誰も言わないこと」を選んで語るほうがいい。[12]（強調は原著）

炎上している誰かを批判するツイートは、すでに多くの人が発している言葉であり、内田の言葉を借りれば「世論」です。あなたがわざわざ書き込まずとも、多くの人が代わりに書いてくれる言葉です。しかし、政治的、社会的に全く重要ではないとしても、とりたててドラマチックなことがなかったとしても、今日のあなたの一日は「誰も言わないこと」もしくは「他の誰にも言えないこと」です。そういった言葉には、それ自体の価値があると私は思います。

最後にもう一つ、ソーシャルメディアのもつ素晴らしい可能性について述べておきます。本書で取り上げた炎上騒ぎのおり、私は押し寄せるリプライへの対応にすっかり疲れていました。しかし、そんななかでも、リプライやダイレクトメッセージ（DM）で励ましてくれる方も少なくありませんでした。それらを送ってくれた方の多くは実際に会ったことのない方々ですし、これからもきっと会うことはないでしょう。それでも、私が今でもソーシャルメディアのユーザーなのは、おそらくそうした方々のおかげなのです。

注

はじめに

1　ヤーヴァード、S.（二〇二三）津田正太郎訳『メディア化理論入門　政治から遊びまで』勁草書房、一四―二〇頁。

第一章

1　https://twitter.com/brighthelmer/status/1304248768896921603 (Last access 2023, Dec., 20).
2　https://twitter.com/brighthelmer/status/1304509133895290880 (Last access 2023, Dec., 20).
3　https://twitter.com/hiranokohta/status/1304528049644253184 (Last access 2023, Dec., 20).
4　https://togetter.com/li/1591140 (Last access 2023. Dec., 20).
5　https://twitter.com/AbeShinzo/status/1249127951154712576 (Last access 2023, Dec., 20).
6　https://anond.hatelabo.jp/20200912141626 (Last access 2023, Feb., 9).
7　https://twitter.com/maeQ/status/1304686580699783168 (Last access 2023, Dec., 26).
8　田中芳樹（二〇一八）『銀河英雄伝説Ⅵ　飛翔編』マッグガーデン、二九八頁。
9　https://anond.hatelabo.jp/20200913035706 (Last access 2023. Dec., 26).

10　ここで「リメイク（再アニメ化）」と表記されているのは、二〇一八年から始まった『Die Neue These』は以前のアニメ化作品を「リメイク」するのではなく、原作小説を再びアニメ化するということを投稿者が正確に記述していることによります。私はその区別を全く考えることなく当初のツイートで「リメイク」と書いたのですが、その部分が訂正されているわけです。

11　津田正太郎（二〇一六）『ナショナリズムとマスメディア　連帯と排除の相克』勁草書房、二六二―二七〇頁。

12　https://twitter.com/brighthelmer/status/1305033410306400256; https://twitter.com/brighthelmer/status/1305033417159925761; https://twitter.com/brighthelmer/status/1305033419080962049 (Last access 2023, Dec., 26).

13　クラッパー、J．T．（一九六六）ＮＨＫ放送学研究室訳『マス・コミュニケーションの効果』日本放送出版協会、八三―九〇頁。

14　https://www.mhlw.go.jp/content/11900000/000605548.pdf (Last access 2023, Dec., 26).

15　https://twitter.com/UnseenJapanSite/status/1183682038173450240 (Last access 2023, Dec., 26).

16　齋藤純一（二〇〇〇）『公共性』岩波書店、viii―ix頁。

17　『毎日新聞』二〇〇六年九月二七日（東京夕刊）。

18　トドロフ、T．（二〇一六）大谷尚文訳『民主主義の内なる敵』みすず書房、一五六頁。

19　白田秀彰（二〇一七）『性表現規制の文化史』亜紀書房。

20　「フジ住宅、差別文書配布で敗訴　韓国人女性への賠償確定」『日本経済新聞』二〇二二年九月九日。
21　堂本かおる「日本人がなぜ黒人アリエルに「ノー」と言う?~『リトル・マーメイド』をめぐる三度目の紛糾」https://wezz-y.com/archives/95482（二〇二三年一二月二六日最終閲覧）。
22　NHK放送文化研究所編（二〇二〇）『現代日本人の意識構造［第九版］』NHKブックス、四五―四九頁。
23　前田健太郎（二〇一九）『女性のいない民主主義』岩波新書、三九―四〇頁。
24　東浩紀（二〇〇一）『動物化するポストモダン』講談社現代新書、五七―五八頁。
25　北村紗衣（二〇一九）『お砂糖とスパイスと爆発的な何か』書肆侃侃房、一二一―一二三頁。
26　伊藤高史（二〇〇六）『「表現の自由」の社会学』八千代出版、一〇三頁。
27　津田正太郎（二〇一一）「メディアの物語と表現の自由　光市母子殺害事件をめぐる週刊誌報道を事例に」（駒村圭吾／鈴木秀美編『表現の自由Ⅱ　状況から』尚学社）、五六頁。
28　津田正太郎（二〇一二）「戦後日本の社会理論における権力主体とメディア　自由と能動性の背反」（大石裕編『戦後日本のメディアと市民意識』ミネルヴァ書房）、八二頁。
29　ウォルドロン、J.（二〇一五）谷澤正嗣／川岸令和訳『ヘイト・スピーチという危害』みすず書房、四―七頁。
30　駒村圭吾（二〇〇一）『ジャーナリズムの法理　表現の自由の公共的使用』嵯峨野書院、一二一―一二三頁。
31　ポメランツェフ、P.（二〇二〇）築地誠子／竹田円訳『嘘と拡散の世紀　「われわれ」と「彼ら」の情報戦争』原書房、四七頁。

第二章

1 吉野ヒロ子（二〇二一）『炎上する社会　企業広報、SNS公式アカウント運営者が知っておきたいネットリンチの構造』弘文堂、三頁。
2 遠藤薫（二〇一八）「間メディア社会における「公共性」と「社会関係資本」」遠藤薫編『ソーシャルメディアと公共性　リスク社会のソーシャル・キャピタル』東京大学出版会、二四頁。
3 吉野、前掲書、六五頁。
4 Yarchi, M., Baden, C. and Kligler-Vilenchik, N. (2021) 'Political polarization on the digital sphere: a cross-platform, over-time analysis of interactional, positional, and affective polarization on social media,' in *Political Communication*, vol.38 (1-2), pp.113-114.
5 ベイル、C.（二〇二二）松井信彦訳『ソーシャルメディア・プリズム　SNSはなぜヒトを過激にするのか？』みすず書房、一二六―一四四頁。田中辰雄（二〇二二）『ネット分断への処方箋　ネットの問題は解決できる』勁草書房、一〇一―一二二頁。
6 西戸彰一郎（二〇〇五）「パソコン通信上の名誉棄損とシスオペの削除義務　ニフティサーブ（現代思想フォーラム）事件」（堀部政男／長谷部恭男編『別冊ジュリスト　メディア判例百選』有斐閣）、二二四―二二五頁。

7　ゴッフマン、E．（二〇一二）浅野敏夫訳『儀礼としての相互行為　対面行動の社会学〈新訳版〉』法政大学出版局、一一頁。
8　ゴッフマン、前掲書、三五頁。
9　サンデル、M．（二〇一〇）鬼澤忍訳『これからの「正義」の話をしよう　いまを生き延びるための哲学』早川書房、三二三―三二六頁。
10　大石裕（二〇〇二）『コミュニケーション研究　社会の中のメディア』慶應義塾大学出版会、一二一―一五頁。
11　吉見俊哉（二〇一二）『「声」の資本主義　電話・ラジオ・蓄音機の社会史』河出文庫、一二八―一三四頁。
12　戸谷洋志（二〇二三）『SNSの哲学　リアルとオンラインのあいだ』創元社、八一頁。
13　吉野、前掲書、五五―五六頁。
14　平井智尚（二〇一二）『「くだらない」文化を考える　ネットカルチャーの社会学』七月社、一六四―一六五頁。
15　藤えりか「バランス崩れたツイッター　津田大介さんに聞くこれからの付き合い方」『朝日新聞デジタル』二〇二三年七月一三日。
16　クレイドン、J．（二〇二三）「マスク氏体制のXは倒産するのか　広告主に対する暴言で波紋」https://www.bbc.com/japanese/features-and-analysis-67621641 (Last access 2023, Dec., 21)。

17 外山滋比古（一九七三）『伝達の美学 「受け手」の可能性』三省堂ブックス、一六二―一六八頁。

18 梅田望夫（二〇〇六）『ウェブ進化論 本当の大変化はこれから始まる』ちくま新書、一三七頁。

19 ハーバーマス、J.（一九九四）細谷貞雄／山田正行訳『公共性の構造転換 市民社会の一カテゴリーについての探究（第二版）』未來社、六四頁。

20 フレイザー、N.（一九九九）山本啓／新田滋訳「公共圏の再考 既存の民主主義の批判のために」C.キャルホーン編、山本啓／新田滋訳『ハーバマスと公共圏』未来社、一二三―一二八頁。

21 アレント、H.（一九九四）志水速雄訳『人間の条件』ちくま学芸文庫、五〇―五四頁。

22 森口千晶（二〇一七）「日本は『格差社会』になったのか 比較経済史にみる日本の所得格差」『経済研究』六八号二巻、一七六―一七八頁。

23 吉川徹（二〇一八）『日本の分断 切り離される非大卒者たち』光文社新書、九四頁。

24 伊藤昌亮（二〇二二）『炎上社会を考える 自粛警察からキャンセルカルチャーまで』中公新書ラクレ、一二九頁。

25 五藤智久（二〇一〇）「消費者行動とクチコミ」池田謙一編『クチコミとネットワークの社会心理 消費と普及のサービスイノベーション研究』東京大学出版会、三四―三六頁。

26 大尾侑子（二〇二一）「デジタル・ファンダム研究の射程 非物質的労働と時間感覚にみる「フルタイム・ファンダム」」伊藤守編『ポストメディア・セオリーズ メディア研究の新展開』ミネルヴァ書房、二一九頁。

27 トゥフェックチー、Z．（二〇一八）毛利嘉孝監修／中林敦子訳『ツイッターと催涙ガス　ネット時代の政治運動における強さと脆さ』Pヴァイン、二五六頁。
28 フェイ、S．（二〇二二）高井ゆと里訳『トランスジェンダー問題　議論は正義のために』明石書店、一八四―一八五頁。
29 同前書、一七八―一八〇頁。
30 同前書、三五四頁。

第三章

1 田中辰雄／山口真一（二〇一六）『ネット炎上の研究　誰があおり、どう対処するのか』勁草書房、一三七頁。
2 庄司薫（一九七三）『狼なんかこわくない』中公文庫、三九―五六頁。
3 同前書、五〇―五一頁。
4 同前書、一二八頁。
5 同前書、一一二―一一三頁。
6 東京都生活文化スポーツ局（二〇二三）「「痴漢撲滅プロジェクト」痴漢被害実態把握調査結果の公表」https://www.metro.tokyo.lg.jp/tosei/hodohappyo/press/2023/12/25/09.html（二〇二三年一二月二七日最終閲覧）。

7 馮兆音ほか（二〇二三）「痴漢動画を売るサイトの裏を暴く…ＢＢＣ独自調査　日本と中国で」https://www.bbc.com/japanese/features-and-analysis-65817476（二〇二三年一二月二六日最終閲覧）。

8 WiMN（メディアで働く女性ネットワーク）編（二〇二〇）『マスコミ・セクハラ白書』文藝春秋。

9 浜井浩一／芹沢一也（二〇〇六）『犯罪不安社会　誰もが「不審者」?』光文社新書、八〇―八一頁。

10 中河伸俊（一九九九）『社会問題の社会学　構築主義アプローチの新展開』世界思想社、一〇三―一一二頁。

11 赤川学（二〇一二）『社会問題の社会学』弘文堂、九五―一〇三頁。

12 情報文化研究所、高橋昌一郎監修（二〇二一）『情報を正しく選択するための認知バイアス事典』フォレスト出版、二二六―二二九頁。

13 Hayes, R. M., et al. (2013) 'Victim blaming others: rape myth acceptance and the just world belief,' in *Feminist Criminology*, vol. 8(3), p.204.

14 *Ibid.*, pp. 211-215.

15 林志弦（二〇二二）澤田克己訳『犠牲者意識ナショナリズム　国境を超える「記憶」の戦争』東洋経済新報社、一一六―一五〇頁。

16 同前書、一三五頁。

17 Pew Research Center (2022) 'As partisan hostility grows, signs of frustration with the two-party system,' https://www.pewresearch.org/politics/2022/08/09/republicans-and-democrats-increasingly-

critical-of-people-in-the-opposing-party/ (Last access 2023, Dec., 26).

18 Iyengar, S., et al. (2012) 'Affect, not ideology: a social identity perspective on polarization,' in *Public Opinion Quarterly*, vol.76(3), pp.415-418.

19 Pew Research Center (2020) 'In changing U.S. electorate, race and education remain stark dividing lines,' https://www.pewresearch.org/politics/2020/06/02/in-changing-u-s-electorate-race-and-education-remain-stark-dividing-lines/ (Last access 2023, Dec., 26).

20 Lelkes, Y. (2016) 'The polls-review mass polarization: manifestations and measurements,' in *Public Opinion Quarterly*, vol.80, p.395.

21 Klein, E. (2020) *Why We're Polarized*, Avid Reader Press, pp.19-31.

22 *Ibid.*, p.6.

23 Benoit, W. L. and Billings, A. C. (2020) *The Rise and Fall of Mass Communication*, Peter Lang, pp.19-24.

24 マクネア、B.（二〇〇六）小川浩一／赤尾光史監訳『ジャーナリズムの社会学』リベルタ出版、一一三―一二一頁。

25 山脇岳志（二〇一九）「揺らぐ報道の「公平性」　フェアネス・ドクトリンとイコールタイム・ルールをめぐって」前嶋和弘ほか編『現代アメリカ政治とメディア』東洋経済新報社、一三五―一四二頁。

26 ヤーヴァード、S.（二〇一三）津田正太郎訳『メディア化理論入門　政治から遊びまで』勁草書房、一〇〇—一〇二頁。

27 Klein, *op cit.*, pp.144-147.

28 Berry, J M. and Sobieraj, S. (2014) *The Outrage Industry: Political Opinion Media and the New Incivility*, Oxford University Press, pp.3-5.

29 渡辺将人（二〇二〇）『メディアが動かすアメリカ　民主政治とジャーナリズム』ちくま新書、一六二—一六三頁。

30 Berry and Sobieraj, *op. cit.*, pp.3-5.

31 渡辺、前掲書、一六五—一六七頁。

32 Ley, D. J. (2014) 'The culture of victimhood: hoaxes, trigger warnings, and trauma-informed care,' in *Psychology Today*, https://www.psychologytoday.com/intl/blog/women-who-stray/201406/the-culture-victimhood (Last access 2023, Dec., 26).

33 オルポート、G. W.（一九六八）原谷達夫／野村昭共訳『偏見の心理』培風館、二四頁。

34 Campbell, B. and Manning, J. (2018) *The Rise of Victimhood Culture: Microaggressions, Safe Spaces, and the New Culture Wars*, palgrave macmillan, p.165.

35 Armaly, M. T. and Enders, A. M. (2021) '"Why me?" the role of perceived victimhood in American politics,' in *Political Behavior*, https://doi.org/10.1007/s11109-020-09662-x.

36 Rucker, P. (2019) 'Staring down impeachment, Trump sees himself as a victim of historic proportions,'

in *The Washington Post*, Sep., 28.
37 Dunning, E. (2018) '#TrumpStyle: the political frames and Twitter attacks of Donald Trump,' in *The Journal of Social Media in Society*, vol.7(2), p. 225.
38 Campbell and Manning, *op cit.*, pp.164-165.
39 Klein, *op cit.*, p.114.
40 Ogorzalek, T et al. (2019) 'White Trump voters are richer than they appear,' in *The Washington Post*, Nov. 12.
41 渡辺靖（二〇二〇）『白人ナショナリズム　アメリカを揺るがす「文化的反動」』中公新書、一一八頁。
42 バウマン、Z.／メイ、T.（二〇一六）奥井智之訳『社会学の考え方（第２版）』ちくま学芸文庫、七六―七七頁。
43 Campbell and Manning, *op cit.*, p. xvii.
44 Lelkes, *op cit.*, pp.400-401.
45 Wilson, A. E., et al. (2020) 'Polarization in the contemporary political and media landscape,' in *Current Opinion in Behavioral Science*, vol.34, p.224.
46 Yudkin, D. et al. (2019) 'The perception gap: how false impressions are pulling Americans apart,' in *Report, More in Common*, pp.14-18.
47 Fernbach, P. M. and Van Boven, L. (2022) 'False polarization: cognitive mechanisms and potential

solutions,' in *Current Opinion in Psychology*, vol.43, pp.2-3.

48 Lelkes, *op cit.*, p.401.

49 Pew Research Center (2014) 'Political polarization in the American public,' https://www.pewresearch.org/politics/2014/06/12political-polarization-in-the-american-public/ (Last access 2023, Dec., 26).

50 Abramowitz, A. I. and Webster, S. W. (2018) 'Negative partisanship: why Americans dislike parties but behave like rabid partisans,' in *Advances in Political Psychology*, vol.39(1), pp.120-123.

51 Wilson, et al., *op cit.*, p.226.

52 Boxwell, L., et al. (2022) 'Cross-Country Trends in Affective Polarization,' in *The Review of Economics and Statistics*, p.7.

53 Key, V. O. (1966) *The Responsible Electorate: Rationality in Presidential Voting, 1936-1960,* Harvard University Press, pp.2-3.

54 サンスティーン、C.（二〇〇三）石川幸憲訳『インターネットは民主主義の敵か』毎日新聞社、八〇―九七頁。

55 パリサー、E.（二〇一二）井口耕二訳『閉じこもるインターネット　グーグル・パーソナライズ・民主主義』早川書房、一九―二〇頁。

56 Tufekci, Z. (2018) 'YouTube, the Great Radicalizer,' in *The New York Times,* 2018/3/10.

57 Fletcher, R. and Nielsen R. K. (2017) 'Are news audiences increasingly fragmented?: a cross-national

comparative analysis of cross-platform news audience fragmentation and duplication,' in *Journal of Communication*, vol.67, pp. 491-492. 田中辰雄／浜屋敏（二〇一九）『ネットは社会を分断しない』角川新書、一七二頁。

58 Bruns, A. (2019) *Are Filter Bubbles Real?*, Polity, p.74.

59 *Ibid*, pp.79-80.

60 ベイル、C.（二〇二二）松井信彦訳『ソーシャルメディア・プリズム　SNSはなぜヒトを過激にするのか？』みすず書房、二三一―二三三頁。

61 同前書、三四―三五頁。

62 ラザースフェルド、P. F. ほか（一九八七）有吉広介監訳『ピープルズ・チョイス　アメリカ人と大統領選挙』芦書房、一四一―一四三頁。

63 同前書、二二三―二二五頁。

64 Klein, *op cit.*, p.38.

65 オルポート、前掲書、二二七―二四一頁。

66 辻大介（二〇二一）「ネット社会と民主主義のゆくえ」辻大介編『ネット社会と民主主義　「分断」問題を調査データから検証する』有斐閣、二一〇頁。

67 ベイル、前掲書、八五―九一頁・田中辰雄（二〇二二）『ネット分断への処方箋』勁草書房、七八―八一頁。

68 Lee, A. H. et al. (2022) 'Negative partisanship is not more prevalent than positive partisanship,' in *Nature Human Behavior*, vol.6, p.959.

69 シャーロット、T.（二〇一九）上原直子訳『事実はなぜ人の意見を変えられないのか　説得力と影響力の科学』白揚社、二四頁。

70 Kim, Y. (2019) 'How cross-cutting news exposure relates to candidate issue stance knowledge, political polarization, and participation: the moderating role of political sophistication,' in *International Journal of Public Opinion Research*, vol.31(4), pp.628-634.

71 Bruns, A., *op cit.*, p.106.

72 Rathje, S., et al. (2021) 'Out-group animosity drives engagement on social media,' in *PNAS*, vol.118(26), https://doi.org/10.1073/pnas.2024292118.

73 Cramer, R. and King, B. (2022) 'MAGA-world fails to flock to Truth Social,' in *POLITICO*, https://www.politico.com/news/2022/03/09/trumps-truth-social-fails-to-make-a-splash-in-maga-world-00015427 (Last access 2023, Dec., 26).

74 Best, J. (1999) *Random Violence: How We Talk about New Crimes and New Victims*, University of California Press, pp.114-115.

第四章

1 https://twitter.com/hatsume1122/status/1653677456291930113 (Last access 2023, Dec. 26).

2 https://twitter.com/yuyu2000_0908/status/1655158903553032193 (Last access 2023, Dec., 26).

3 大倉幸宏（二〇一三）『「昔はよかった」と言うけれど　戦前のマナー・モラルから考える』新評論、三〇頁。

4 大倉幸宏（二〇一六）『「衣食足りて礼節を知る」は誤りか　戦後のマナー・モラルから考える』新評論、一一五―一一六頁。

5 同前書、一四一―一五〇頁。

6 浜井浩一／芹沢一也（二〇〇六）『犯罪不安社会　誰もが「不審者」?』光文社新書、四二―四五頁。

7 ＮＨＫ放送文化研究所編（二〇二〇）『現代日本人の意識構造［第九版］』ＮＨＫブックス、二二一―二三五頁。

8 仁平典宏（二〇一五）「日本型市民社会と生活保障システムのセカンドモダニティ　二つの個人化と複数性の条件」鈴木宗徳編『個人化するリスクと社会　ベック理論と現代日本』勁草書房、二六四―二六七頁。

9 伊藤美登里（二〇一五）「社会学史における個人と社会　社会学の課題の変容とそれへの理論的格闘」鈴木宗徳編『個人化するリスクと社会　ベック理論と現代日本』勁草書房、四〇―四三頁。

10 石田光規（二〇二二）『「人それぞれ」がさみしい　「やさしく・冷たい」人間関係を考える』ちくまプ

リマー新書、三五―四九頁。

11 広田照幸（一九九九）『日本人のしつけは衰退したか 「教育する家族」のゆくえ』講談社現代新書。

12 デュルケム、E．（一九七八）宮島喬訳『社会学的方法の基準』岩波文庫、一五二―一五五頁。

13 同前書、一五五頁。

14 奥村隆（二〇二四）『他者といる技法 コミュニケーションの社会学』ちくま学芸文庫、一八二―一八三頁。

15 吉田俊和（二〇〇九）「社会的迷惑とは」吉田俊和ほか編『社会的迷惑の心理学』ナカニシヤ出版、二頁。

16 ＮＨＫ（二〇二一）「新型コロナ対策 個人の自由制限『許される』八六％ ＮＨＫ世論調査」https://www3.nhk.or.jp/news/html/20210115/k10012816591000.html（二〇二三年一二月二六日最終閲覧）。

17 松原悠（二〇二一）「新型コロナウイルス感染症の流行に伴う『自粛警察』についての一考察 言説空間の変容に注目して」『災害と共生』第五巻一号、二一頁。

18 法務省「自粛警察と誤った正義感」https://www.moj.go.jp/JINKEN/jinken05_00055.html（二〇二三年一二月二六日最終閲覧）。

19 森真一（二〇一三）『どうしてこの国は「無言社会」となったのか』産学社、三一―四頁。

20 中央調査社（二〇二三）「議員、官僚、大企業、警察等の信頼感調査」https://www.crs.or.jp/data/pdf/trust21.pdf（二〇二三年一二月二六日最終閲覧）

21 李光鎬（二〇二三）「報道メディアを敵視し、軽蔑するオーディエンス」李津娥編『クリティカル・オーディエンス　メディア批判の社会心理学』新曜社、二六頁。

22 Vallone, R., Ross, L. and Lepper, M. (1985) 'The hostile media phenomenon: biased perception and perceptions of media bias in coverage of the Beirut massacre,' *in Journal of Personality and Social Psychology*, vol.49(3), p.584.

23 Gunther, A. C. and Liebhart, J. L. (2006) 'Broad reach or biased sources?: decomposing the hostile media effect,' in *Journal of Communication*, pp.451-452.

24 Davison, W. (1983) 'The third-person effect in communication,' in *Public Opinion Quarterly*, vol.47(1), p.3.

25 李、前掲論文、二九頁。

26 チャルディーニ、R．B．（二〇一四）社会行動研究会訳『影響力の武器　なぜ、人は動かされるのか（第三版）』誠信書房、三〇一―三〇四頁。

27 はたちこうた「京アニ放火殺人「ＮＨＫのディレクターと容疑者が知り合い」は事実無根、公式に否定」https://www.buzzfeed.com/jp/kotahatachi/nhk-kyoani（二〇二三年一二月二六日最終閲覧）。

28 小城英子（一九九七）『阪神大震災とマスコミ報道の功罪　記者たちの見た大震災』明石書店、四一―四九頁。

29 日本新聞協会（一九六五）「航空取材要領（一九九七年改訂）」https://www.pressnet.or.jp/statement/

report/650714_106.html（二〇二三年一二月二六日最終閲覧）。
30 「ごう音、風圧…ヘリ報道　救出作業に支障　警察・消防『二次災害の恐れ』」『長崎新聞』https://www.nagasaki-np.co.jp/kijis/?kijiid=670076456447984737（二〇二四年一月一〇日最終閲覧）。
31 野口博之（二〇一九）「手入れされた植え込みに「マスコミの脚立」　吹田市民激怒でＮＨＫとＭＢＳ謝罪」https://www.j-cast.com/2019/06/20360548.html（二〇二三年一二月二六日最終閲覧）。
32 村上春樹（一九九七）『アンダーグラウンド』講談社、二五―二六頁。
33 高橋シズヱ／河原理子（二〇〇五）『〈犯罪被害者〉が報道を変える』岩波書店、一一三頁、六八頁。
34 山本孝興／波多野大介（二〇一九）「『京アニの敦志、忘れないで』石田敦志さんの父が会見」『朝日新聞』二〇一九年八月二七日朝刊。
35 ふるまいよしこ（二〇一六）『中国メディア戦争　ネット・中産階級・巨大企業』ＮＨＫ出版新書、一五五―一五六頁。
36 魚住昭（二〇〇六）『国家とメディア　事件の真相に迫る』ちくま文庫、二八頁。
37 「フジテレビ・二〇代女性政治部記者に聞く「総理番の仕事」って？」https://jj-jj.net/lifestyle/151688/（二〇二三年一二月二六日最終閲覧）。
38 石田光規（二〇一五）「資本主義経済システムにおける人間関係の外部性」鈴木宗徳編『個人化するリスクと社会　ベック理論と現代日本』勁草書房、一三六―一三七頁。
39 土井隆義（二〇〇八）『友だち地獄　「空気を読む」世代のサバイバル』ちくま新書、一七頁。

40 津田正太郎（二〇一九）「マスコミの「迷惑行為」が日本社会でこんなに叩かれる理由　不寛容な寛容社会の構造」https://gendai.media/articles/-/64876（二〇二三年一二月二六日最終閲覧）。

41 熊代亨（二〇二〇）『健康的で清潔で、道徳的な秩序ある社会の不自由さについて』イースト・プレス、二〇―三七頁。

42 同前書、一五六―一五七頁。

43 筒井淳也（二〇一五）『仕事と家族　日本はなぜ働きづらく、産みにくいのか』中公新書、三五―三六頁。

44 石田光規（二〇一五）「個人化社会における孤立と孤立死」鈴木宗徳編『個人化するリスクと社会　ベック理論と現代日本』勁草書房、二〇五頁。

45 同前論文、一九九頁。

第五章

1 ダイアモンド、L.（二〇二二）市原麻衣子監訳『浸食される民主主義（上）』勁草書房、六八頁。

2 トゥフェックチー、Z.（二〇一八）毛利嘉孝監修／中村敦子訳『ツイッターと催涙ガス　ネット時代の政治運動における強さと脆さ』Pヴァイン、三八―四三頁。

3 アプルボーム、A.（二〇二一）『権威主義の誘惑　民主政治の黄昏』白水社、一一五―一一六頁。

4 Deutsch, K. W. (1966) *Nationalism and Social Communication: An Inquiry into the Foundations of*

Nationality (second edition), MIT Press, 184.

5 津田正太郎(二〇二一)「「ノープロパガンダ」の実相　第二次世界大戦時における英国のプロパガンダ政策(下)」『社会志林』六八巻二号。

6 ダイヤモンド、前掲書、一四九頁。

7 ダイヤモンド、前掲書、一四四頁。

8 パトリカラコス、D.(二〇一九)『140字の戦争　SNSが戦場を変えた』早川書房、一九五―一九六頁。

9 ポメランツェフ、P.(二〇二〇)築地誠子/竹田円訳『嘘と拡散の世紀「われわれ」と「彼ら」の情報戦争』原書房、九三頁。

10 奥寺淳/古谷浩一(二〇二〇)「自由なき香港、広がる恐怖」『朝日新聞』一二月三〇日(朝刊)。

11 阿部岳(二〇二〇)「政府がデマ裏書き　専門家『官製ヘイト』」『沖縄タイムス』八月一五日(朝刊)。

12 ユージンスキ、J.E.(二〇二二)北村京子訳『陰謀論入門　誰が、なぜ信じるのか?』作品社、四三頁。

13 Fisher, M., et al. (2016) 'Pizzagate: From rumor, to hashtag, to gunfire in D.C.,' in *Washington Post*, Dec. 6.

14 秦正樹(二〇二二)『陰謀論　民主主義を揺るがすメカニズム』中公新書、一三六―一七三頁。

15 ユージンスキ、前掲書、一六七頁―一七七頁。

16 Hosenball, M. (2020) 'Factbox: key findings from Senate inquiry into Russian interference in 2016 U.S. election,' https://www.reuters.com/article/us-usa-trump-russia-senate-findings-fact-idUSKCN25E2OY/ (Last access 2023, Dec., 26).

17 ゴットシャル、J.（二〇二二）月谷真紀訳『ストーリーが世界を滅ぼす　物語があなたの脳を操作する』東洋経済新報社、一二〇―一二四頁、一五四―一五六頁。

18 ポメランツェフ、前掲書、七三頁。

19 Forest Hill Connection (2018) 'A tribute to Terasol: the now-closed French bistro and 'neighborhood gem' with an artist's soul,' https://www.foresthillsconnection.com/news/a-tribute-to-terasol-the-now-closed-french-bistro-and-neighborhood-gem-with-an-artists-soul/ (Last access 2023, Dec., 26).

20 Klein, E. (2020) *Why We're Polarized*, Avid Reader Press, p.249.

21 ノエル＝ノイマン、E.（一九九七）『沈黙の螺旋理論　世論形成過程の社会心理学　改訂版』ブレーン出版。

22 同前書、一九九―二〇一頁。

23 同前書、二四九頁。

24 佐藤卓己（二〇一八）『ファシスト的公共性　総力戦体制のメディア学』岩波書店、一一六―一二三頁。

25 サンスティーン、C.（二〇二三）永井大輔／高山裕二訳『同調圧力　デモクラシーの社会心理学』白水社、一八頁。

26 安野智子（二〇〇六）『重層的な世論形成過程　メディア・ネットワーク・公共性』東京大学出版会、一三六頁。
27 サンスティーン、前掲書『同調圧力』、九四―九五頁。
28 鳥海不二夫（二〇二〇）「二〇二〇都知事選で小池都知事への応援メッセージがツイッター上にほとんどなかった件」https://news.yahoo.co.jp/expert/articles/91e631039f3ee0765d90fc6389f40454f0abebe2（二〇二三年一二月二六日最終閲覧）。
29 渡辺洋子（二〇一九）「ＳＮＳを情報ツールとして使う若者たち　「情報とメディア利用」世論調査の結果から②」『放送研究と調査』五月号、四四頁。
30 World Values Survey (wave 7) https://www.worldvaluessurvey.org/WVSOnline.jsp (Last access 2023, Dec., 26).
31 ベイル、C.（二〇二二）松井信彦訳『ソーシャルメディア・プリズム　ＳＮＳはなぜヒトを過激にするのか？』みすず書房、八五頁。
32 総務省『平成二七年版　情報通信白書』、二〇九頁。
33 Klein, *op. cit.*, pp.187-190.
34 Klein, *op. cit.*, pp.172-173.
35 プシェヴォスキ、A.（二〇二三）吉田徹／伊﨑直志訳『民主主義の危機　比較分析が示す変容』白水社、一〇五頁。

36　ミュデ、C．／カルトワッセル、C．R．（二〇一八）永井大輔／高山裕二訳『ポピュリズム　デモクラシーの友と敵』白水社、一四頁。

37　谷口将紀（二〇二〇）『現代日本の代表制民主政治　有権者と政治家』東京大学出版会、一―二頁。

38　小熊英二（二〇二〇）「総説「右傾化」ではなく「左が欠けた分極化」」小熊英二／樋口直人編『日本は「右傾化」したのか』慶應義塾大学出版会、六―七頁。

39　辻大介（二〇二三）「ネット社会における世論形成デバイド　二つの「分断」可能性を検証する」北田暁大／東園子編『岩波講座　社会学　第12巻　文化・メディア』岩波書店、一八五―二〇二頁。

40　Monmouth University (2023) 'Public wants budget compromise to avoid government shutdown,' https://www.monmouth.edu/polling-institute/reports/monmouthpoll_us_092723/ (Last access 2023, Dec., 26).

41　西澤由隆（二〇〇四）「政治参加の二重構造と『関わりたくない』意識：Who said I wanted to participate?」『同志社法学』第五五巻五号、一〇―一二頁。

42　遠山航輝ほか（二〇二二）「日本人の積極的政治参加を忌避する心的傾向に関する研究」『土木学会論文集Ｄ３（土木計画学）』七七巻五号、二一八―二二〇頁。

43　ＮＨＫ放送文化研究所（二〇二〇）『現代日本人の意識構造［第九版］』ＮＨＫブックス、八五―八八頁。

44　秦、前掲書、一八二―一八五頁。

45　浅野智彦（二〇二一）「デジタルネイティブ世代は分極化しているか」辻大介編『ネット社会と民主主

義「分断」問題を調査データから検証する』有斐閣、一三四―一三五頁。
46 サンスティーン、C.（二〇一五）角松生史／内野美穂監訳『恐怖の法則　予防原則を超えて』勁草書房、一〇九―一一〇頁。
47 サンスティーン、前掲書『同調圧力』、七六―七七頁。
48 五十嵐泰正（二〇一八）『原発事故と「食」　市場・コミュニケーション・差別』中公新書、一五八―一六一頁。
49 中村政雄（二〇〇四）『原子力と報道』中公新書ラクレ、一八二頁。
50 森山至貴（二〇一七）『LGBTを読みとく』ちくま新書、五〇頁。
51 フェイ、S.（二〇二二）高井ゆと里訳『トランスジェンダー問題　議論は正義のために』明石書店、三二二―三二三頁。
52 千田有紀（二〇二〇）「「女」の境界線を引きなおす　「ターフ」をめぐる対立を超えて」（『現代思想』第四八巻四号）、二五三頁。
53 遠藤まめた責任編集「はじめてのトランスジェンダー」https://trans101.jp/faq/（二〇二三年一二月二六日最終閲覧）。神谷悠一（二〇二二）『差別は思いやりでは解決しない　ジェンダーやLGBTQから考える』集英社新書、一〇三―一〇七頁。フェイ、前掲書、三五三―三五四頁。
54 フェイ、前掲書、三四九頁。
55 シュミット、C.（一九七〇）田中浩／原田武雄訳『政治的なものの概念』未來社、一五頁。

56 杉田敦（二〇〇五）『境界線の政治学』岩波書店、九三頁。

57 トゥフェックチー、前掲書、二五四頁。

58 シャットシュナイダー、E．E．（一九七二）内山秀夫訳『半主権人民』而立書房、九〇―九一頁。

59 Alesina, A. and Glaeser, E. L. (2004) *Fighting Poverty in the US and Europe: A World of Difference,* Oxford University Press, pp.157-159.

60 最高裁判所第三小法廷判決令和五年七月一一日裁判所ウェブサイト参照（令和三年（行ヒ）二八五号、九頁。

終　章

1 奥村隆（二〇二四）『他者といる技法　コミュニケーションの社会学』ちくま学芸文庫、六二―六六頁。

2 毎日新聞デジタル報道グループ（二〇二三）「Colabo『バスカフェ』に相次ぐ妨害　活動再開も先行き不透明」https://mainichi.jp/articles/20230430/k00/00m/040/051000c（二〇二三年一二月二六日最終閲覧）。

3 仁平典宏（二〇一一）『「ボランティア」の誕生と終焉　〈贈与のパラドックス〉の知識社会学』名古屋大学出版会、一三頁。

4 佐藤卓己（二〇二二）『負け組のメディア史　天下無敵　野依秀市伝』岩波現代文庫、一五―一七頁。

5 ソルニット、R．（二〇一〇）高月園子訳『災害ユートピア　なぜそのとき特別な共同体が立ち上がるのか』亜紀書房、一七一―一九頁。

6 鈴木智之(二〇一三)『「心の闇」と動機の語彙 犯罪報道の一九九〇年代』青弓社、八六頁。

7 ミュデ、C./カルトワッセル、C. R.(二〇一八)永井大輔/高山裕二訳『ポピュリズム デモクラシーの友と敵』白水社、二三頁。

8 ヘイ、C.(二〇一二)吉田徹訳『政治はなぜ嫌われるのか 民主主義の取り戻し方』岩波書店、九四頁。

9 Papaioannou, A., et al. (2023) 'Unravelling the relationship between populism and belief in conspiracy theories: the role of cynicism, powerlessness and zero-sum thinking,' in *British Journal of Psychology*, vol.144(1), p.170.

10 Plutzer, E. and Michael, B. (2018) 'Americans not only divided, but baffled by what motivates their opponents,' https://democracy.psu.edu/wp-content/uploads/sites/14/2020/08/Poll-Report-November-2018.pdf (Last access 2023, Dec., 26).

11 石岡丈昇(二〇一六)「参与観察」岸政彦ほか『質的社会調査の方法 他者の合理性の理解社会学』有斐閣、九五―一五三頁。

12 内田樹(二〇一〇)『街場のメディア論』光文社新書、一〇三頁。

あとがき

筑摩書房編集部の方便凌さんから、ソーシャルメディアに関する本を書かないかというお誘いを受けたのは二〇二一年九月のことでした。お引き受けしたのはいいものの、別の仕事に時間をとられてしまい、ずいぶんお待たせすることになってしまいました。

その間、ソーシャルメディアをとりまく環境、とりわけツイッターの状況は大きく変化し、名称すらもXになってしまいました。執筆しているなかでもっとも心配だったのは、この本が出るまで果たしてXは存続しているのかということでした。このあとがきを書いている段階ではまだ機能していますが、書店に並ぶまでにサービス終了になったらどうしようという不安はいまだ拭えません。

それはさておき、本書はずいぶん背伸びをしながらの執筆ということになりました。メディア・コミュニケーション研究は言うに及ばず、社会学、政治学、政治哲学、社会心理学など、さまざまな分野の知恵を拝借しながら原稿を書いたからです。

現代においてソーシャルメディアは人びとの生活の奥深くにまで入り込んでおり、さまざまな学術分野でその影響が論じられるようになっています。そのため、「ネットはなぜいつも揉《も》めているのか」というテーマをより幅広く論じるためには、参照する研究の範囲をかなり広くとる必要があります。それぞれの研究分野の専門家の方々からみれば、本書には不十分な点が多々あるかと思います。それらについては、ご批判、ご指摘いただければ幸いです。

もちろん、私一人で論じられるトピックには限りがあり、本書で十分に扱うことのできなかったテーマもあります。たとえば、ソーシャルメディアを運営する企業の問題についてはもっと踏み込んだ検討が必要になるでしょう。さらに、近年の学術的なトレンドから言えば、進化心理学などからのアプローチも有効だと思われます。

このように不十分な点を残しつつ、それでもなんとか本書を書き上げることができたのは、方便さんやその他の方々の支えがあったからです。もちろん、本書に含まれるさまざまな誤りは全て私自身の責任によるものです。

そのうえでまずお礼を申し上げたいのは、本書の草稿を読んでいただいた慶應義塾大学メディア・コミュニケーション研究所の津田研究会のみなさんです。若い視点から、いくつもの有益な指摘をしていただきました。

草稿に目を通していただいたばかりか、詳細なメモまで作成していただいた法政大学大学院社会学研究科の余偉さんにもお礼を言わねばなりません。その厳しくも的確な指摘に全て応えられたとは思っていませんが、それでも余さんのメモには大変助けられました。

私がメディア・コミュニケーションの研究を続けるうえで大きな影響を受けてきたのが、大石裕先生を始めとする大石研究会のみなさんです。一例を挙げるなら、本書の第5章で参照したエルマー・シャットシュナイダー『半主権人民』は、私がまだ大学院生のころに大石先生からご紹介いただいた著作で、それがなければおそらく読むことはなかったはずです。

それ以外にも、おそらく私が意識していないところまで含めて、大石研究会のみなさんから受けた影響は計り知れません。大学院生のころから大石先生には「どこから弾が飛んでくるか分からないのだから、頭を低くして慎重に進みなさい」と学問における禁欲や慎重さを繰り返し教わってきたにもかかわらず、気がつけば地雷原を無防備に歩いているような著作を書いてしまったのは、不肖の弟子として恐縮するばかりです。

本書の執筆を始めた時点で所属していた法政大学社会学部、および現在の所属である慶應義塾大学メディア・コミュニケーション研究所には、いずれも恵まれた研究環境を与えていただきました。事務処理能力という点ではなはだ問題のある私が、なんとか研究を続けられるのも、同僚の教員や職員のみなさんのお力添えがあってのことです。

私の家族にも感謝を述べておきたいと思います。前著を出したときにはまだ幼かった長女も長男もすっかり成長し、（ある意味では残念なことに）ツイッター上のトレンドについて楽しく話ができるまでになりました。私とは大きく異なるソーシャルメディアの使い方からは多くを学ばせてもらっています。妻との何気ない会話も私にとってなくてはならないものであり、今後も楽しく、永く、ともに過ごしていけることを願っています。

最後に、二〇二二年五月に若くして旅立ったS君に本書を捧げる。「これから、きっといいことある」という私の言葉は届かなかったけれど、メディアコンテンツやソーシャルメディアに関心をもっていた君にこの本を読んでもらい、感想を聞かせてもらいたかったと強く思う。

こんなことを書いても、全くの無意味で、自己満足でしかないのは、わかっているのだけれども。

二〇二四年三月

津田正太郎

chikuma primer shinsho

ちくまプリマー新書458
ネットはなぜいつも揉《も》めているのか
二〇二四年五月十日　初版第一刷発行

著者　津田正太郎（つだ・しょうたろう）
装幀　クラフト・エヴィング商會
発行者　喜入冬子
発行所　株式会社筑摩書房
東京都台東区蔵前二-五-三　〒一一一-八七五五
電話番号　〇三-五六八七-二六〇一（代表）
印刷・製本　中央精版印刷株式会社

ISBN978-4-480-68483-7 C0236 Printed in Japan